CW00395092

DOSBARTH NOS 39 - 60 (De Cymru)

Tîm Cynhyrchu / *Production Team*

Brenda Jones - awdur/*author*
Anthony Evans - dylunydd/*illustrator*
Lesley M Conran - golygydd/*editor*
Aled Davies a Helen Prosser - ymgynghorwyr/*consultants*
Jenny Pye ac Olwen Hills - gweithgareddau/*activities*
Sharon Hughes, Ann Corkett a Lowri Morgan - cysodi/*desk top*

Cydnabyddiaeth / *Acknowledgements*

Diolch i'r holl gyhoeddwyr, gweisg ac awduron a enwir yn y gyfrol hon am eu caniatâd
i ddefnyddio darnau o'u cyhoeddiadau a'u gwaith gwreiddiol.

*We wish to thank all publishers, printers and authors named in this publication for
their permission to use passages from their publications and their original work.*

Yn cynnwys / *Including*:

Prentis, Gwasg Taf Cyf.
Golwg, Cwmni Golwg Cyf.
Y Cymro, Papurau Newydd Gogledd Cymru Cyf.
Telecom Prydeinig ccc/*British Telecommunications plc*
Bedwyr Lewis Jones ac Elen Rhys, Gwasg Carreg Gwalch

Cyhoeddwyd gan
Uned Iaith Genedlaethol Cymru
Cyd-bwyllgor Addysg Cymru
245 Rhodfa'r Gorllewin
Caerdydd CF5 2YX

Mae Uned Iaith Genedlaethol Cymru yn rhan o WJEC CBAC Cyf., cwmni a gyfyngir
gan warant ac a reolir gan awdurdodau unedol Cymru.

© Uned Iaith Genedlaethol Cymru CBAC (h) 1997

Argraffiad cyntaf 1997
Cynhyrchwyd â chymorth Cyngor Cyllido Addysg Bellach Cymru

Argraffwyd yng Nghymru gan Gwmni Argraffu Hackman Cyf.,
Tonypandy, Rhondda Cynon Taf.

ISBN 1 86085 248 3

CYFLWYNIAD / *INTRODUCTION*

Croeso i 'Dosbarth Nos 39 - 60. Mae'r cwrs hwn yn addas i ddysgwyr sydd wedi cwblhau 'Dosbarth Nos 1 - 20' a 'Dosbarth Nos 21 - 38' neu sydd wedi astudio tua 120 awr o Gymraeg. Mae adran iaith ym mhob Uned sydd yn rhoi cyfle i adolygu patrymau ac ymestyn *(extend)* eich gwybodaeth o'r iaith. Mae gweithgareddau *(activities)* hefyd a llawer o gyfleoedd *(opportunities)* i ymarfer sgwrsio. Mae adran Gwaith Cartref ym mhob Uned gyda dewis o ymarferion *(exercises)* iaith, gweithgareddau a darnau *(passages)* darllen a deall. Ar ddiwedd y llyfr mae unedau cyfeiriol *(reference)* gyda geirfa, gramadeg ac ymarferion gwrando.

Mae rhai o fyfyrwyr Coleg Menai wedi mwynhau'r cyfle i brofi'r ymarferion tra roedd y llyfr yn cael ei baratoi. Yn ni'n gobeithio y byddwch chi yn mwynhau'r llyfr yn yr un modd. Rhaid eich bod chi eisoes *(already)* wedi gweithio yn galed iawn i gyrraedd y lefel yma - llongyfarchiadau *(congratulations)*. Daliwch ati, a gyda ychydig mwy o waith bydd Cymraeg effeithiol *(effective)* gyda chi ar gyfer pob math o sefyllfa *(situation)*.

I'r rhai sydd eisiau ennill arholiad tebyg i TGAU *(GCSE)* mae ymarferion fydd yn help i chi baratoi ar gyfer yr arholiad 'Defnyddio'r Gymraeg' *(Using Welsh)*. Mae'r gwerslyfr *(coursebook)* hefyd yn addas i'r rhai sydd eisiau gweithio tuag at *(towards)* gredydau Rhwydwaith y Coleg Agored *(Open College Network Credits)* ar lefel 2. Os ydych chi eisiau gwybodaeth bellach *(further information)* am gyrsiau neu gymwysterau *(qualifications)* cysylltwch â'r Swyddog Cymraeg i Oedolion, Yr Uned Iaith, CBAC/WJEC, 245 Rhodfa'r Gorllewin, Caerdydd, CF5 2YX (01222 265007)

Disgwylir cynhyrchu Tâp ac Awgrymiadau a Chyfarwyddiadau i Diwtoriaid i gyd-fynd â'r llyfr hwn yn ystod 1998.

Pob hwyl gyda'r dysgu!

Lesley M Conran
Coleg Menai, Bangor
Mai 1997

DOSBARTH NOS 39–60

CYNNWYS

A. Beth amdanoch chi? – HOLI AC ATEB AM FANYLION PERSONOL.

Mae rhai pobl yn gallu bod yn fusneslyd iawn. Gyda'ch partner, parwch y cwestiynau a'r atebion.

Gofyn cwestiwn:

Ych chi'n byw yn lleol?
Ych chi'n dod o'r ardal yma yn wreiddiol?
Beth ych chi'n feddwl o'r ardal?
Ers faint ych chi'n byw yma?
O ble mae eich teulu chi'n dod?
Ych chi'n briod?
Oes plant 'da chi?
Ych chi'n gweithio?
Ble roch chi'n byw cyn dod yma?
Pam symudoch chi?
Ble aethoch chi i'r ysgol pan och chi'n blentyn?

Atebion:

Ron i'n byw yng Nghaeredin.
Nac ydw. Wi wedi ymddeol ers y llynedd.
Ydw. Wi'n byw yng Nghaerdydd.
Mae'r bobl yn yr ardal yn neis iawn ac mae'n gyfleus.
Mae'r teulu'n dod o Gaeredin.
Nac ydw. Dw i ddim yn briod ond wi wedi dyweddio.
Wi'n byw yma ers pum mlynedd.
Ron i eisiau byw mewn tre fach, ron i wedi cael llond bol ar fyw mewn dinas.
Es i i Ysgol Gynradd Sant Ioan.
Oes, mae saith o blant 'da fi, pum mab a dwy ferch.
Nac ydw. Wi'n dod o Lundain yn wreiddiol.

5

(i)   *Nawr, newidiwch y cwestiynau gan ddefnyddio 'ti' yn lle 'chi'.*

(ii)   *Bydd eich tiwtor wedi paratoi set o gardiau gyda'r cwestiynau a'r*
       atebion arnyn nhw.   Chwaraewch gêm ar ffurf PELMANISM.   Bydd eich tiwtor yn
       esbonio'r rheolau i chi.

B.

Ych chi'n cofio?

Ych chi'n hapus yma?   Ydw/Nac ydw

Och chi'n mynd i'r eglwys?   On/Nac on

Oes amser 'da chi i siarad?   Oes/Nac oes

Gerddoch chi?   Do/Naddo

Ydy hi'n iawn i mi fynd?   Ydy/Nac ydy

C.   *Chwaraewch y gêm fwrdd ar y tudalen nesaf mewn grŵp o dri.*
       Atebwch gyda mwy nag un frawddeg os yn bosib.

6

36. *Yn ôl 5*	37. Fasech chi'n symud yn ôl i fyw yn eich hen ardal?	38. Pam symudoch chi i ....?	39. *Yn ôl i 32*	40. Ych chi'n mynd i'r capel?	41. *Yn ôl i'r dechrau*	42. Disgrifiwch y stryd lle ych chi'n byw
35. Ych chi'n briod?	34. Och chi'n hoffi'r ysgol?	33. Ers faint ych chi'n byw yn .....?	32. Ych chi'n byw mewn pentref?	31. O ble mae eich teulu chi'n dod?	30. *Yn ôl 5*	29. Ych chi'n gweithio?
22. Beth wnaethoch chi ddoe?	23. Oes llyfrgell lle ych chi'n byw?	24. *Yn ôl 4*	25. Ers faint ych chi'n dysgu Cymraeg?	26. Fyddwch chi'n mynd yn ôl i'ch hen ardal ambell waith?	27. Beth ych chi'n feddwl o'r ardal yma?	28. Ble aethoch chi i'r ysgol?
21. Ych chi'n dod o'r ardal yma yn wreiddiol?	20. Ble hoffech chi fyw?	19. *Yn ôl 4*	18. Beth ych chi'n feddwl o S4C?	17. Oes diddordeb 'da chi?	16. Ych chi'n byw mewn tŷ teras?	15. Oes plant 'da chi?
8. *Yn ôl 3*	9. Beth och chi'n hoffi pan och chi'n blentyn?	10. Oes gardd fawr 'da chi?	11. Ych chi'n byw mewn bwthyn?	12. Ych chi'n mynd i'r eglwys?	13. Oes teulu 'da chi sy'n byw tramor?	14. *Yn ôl 5*
7. Beth hoffech chi wneud yfory?	6. Fyddwch chi'n mynd ar wyliau yn ystod y tri mis nesa?	5. Oes meddygfa yn agos atoch chi?	4. Ers faint ych chi'n byw yn eich tŷ?	3. Beth oedd eich swydd gynta?	2. Oes cymdogion neis 'da chi?	1. Ych chi'n byw mewn tref?

CH.

(i) *Rhowch gyfweliad i'ch partner gan ddefnyddio'r patrwm isod.*
Ymarferwch y patrwm yn gyntaf.

A. **Ble ych chi'n byw nawr?**
B. **Wi'n byw mewn pentre bach o'r enw Felinfach ger Aberaeron.**
A. **Ers pryd ych chi'n byw yno?**
B. **Wi'n byw yn Felinfach ers saith mlynedd.**
A. **Ble roch chi'n byw cyn symud i Felinfach?**
B. **Ron i'n byw yn Abertawe, lle prysur a swnllyd iawn.**
A. **Ych chi'n colli bywyd y ddinas?**
B. **Ydw. Mae llawer iawn mwy o gyfleusterau yno.**
   Wi'n colli'r siopau mawr, y tai bwyta ac ati.
A. **Fyddwch chi'n mynd yn ôl yno ambell waith?**
B. **Bydda. Wi'n dal i gadw mewn cysylltiad â hen ffrindiau yno. Yn**
   ni'n ffonio'n aml ac yn cyfarfod o bryd i'w gilydd.

(ii) *Sgwrs gyda phartner.*

(a) Yr ardal lle roch chi'n byw yn blentyn.

Disgrifiwch yr ardal lle roch chi'n byw yn blentyn. Dwedwch pa mor aml ych chi'n mynd yn ôl i ardal eich plentyndod erbyn heddiw a sut mae'r ardal wedi newid.

(b) Yr ardal lle ych chi'n byw nawr.

Disgrifiwch yr ardal lle ych chi'n byw nawr. Esboniwch pam dewisoch chi fyw yn eich cartref presennol.

(c) *Ac wedyn gofynnwch i aelodau eraill o'r dosbarth gan ofyn:*

Beth amdanat ti/Beth amdanoch chi?

Geirfa i'ch helpu:

amaethyddol	–	agricultural
diwydiannol	–	industrial
cefn gwlad	–	countryside
dinas	–	city
cyfleusterau	–	amenities
awyr iach	–	fresh air
canolog	–	central
ar gyrion y dref	–	on the outskirts of the town
eglwys gadeiriol	–	cathedral

GWAITH CARTREF

1. *Trowch y frawddeg o'r amser presennol i'r amser amherffaith.*
   Dilynwch y patrwm isod.

   e.e   Wi'n byw yng Nghaerfyrddin.   **Ron i'n byw yng Nghaerfyrddin**

   1. Mae Beti yn mynd i'r ysgol leol. . . . .

   2. Mae ci 'da fi o'r enw Stomp. . . . .

   3. Mae ei deulu e'n dod o Lundain. . . . .

   4. Wi'n meddwl ei bod hi'n ardal . . . .
      brydferth iawn.

   5. Maen nhw'n byw mewn byngalo. . . . .

   6. Mae e'n gweithio mewn ffatri fawr. . . . .

   7. Mae cymdogion neis iawn 'da fi. . . . .

2. YSGRIFENNU

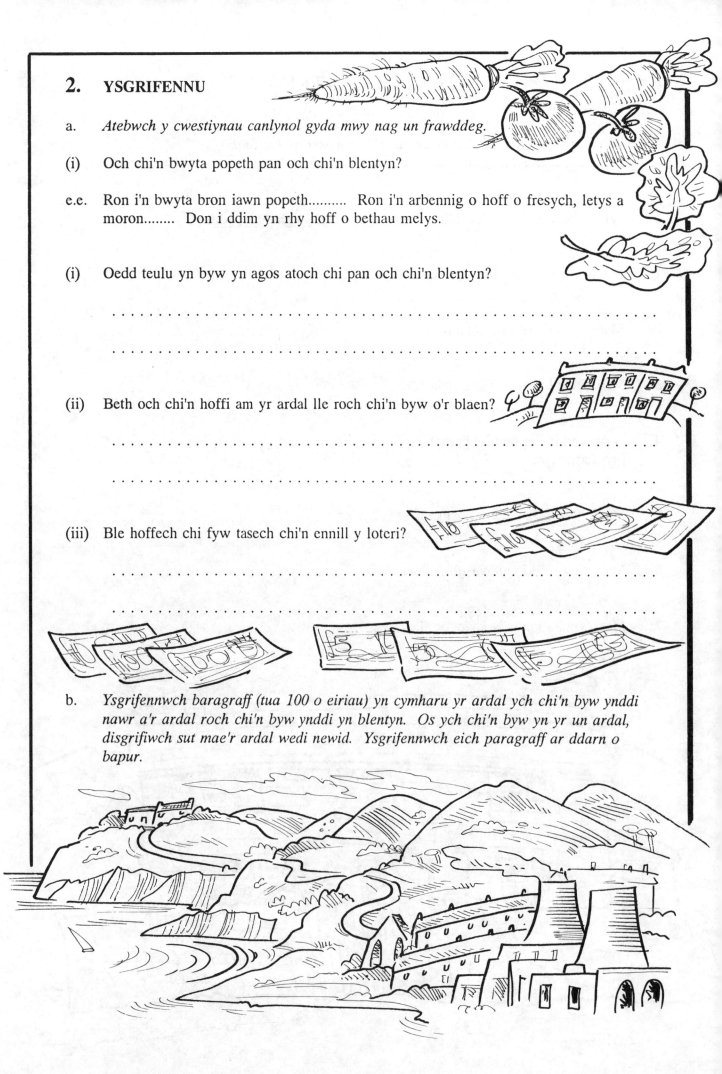

a. *Atebwch y cwestiynau canlynol gyda mwy nag un frawddeg.*

(i) Och chi'n bwyta popeth pan och chi'n blentyn?

e.e. Ron i'n bwyta bron iawn popeth.......... Ron i'n arbennig o hoff o fresych, letys a moron........ Don i ddim yn rhy hoff o bethau melys.

(i) Oedd teulu yn byw yn agos atoch chi pan och chi'n blentyn?

. . . .

. . . .

(ii) Beth och chi'n hoffi am yr ardal lle roch chi'n byw o'r blaen?

. . . .

. . . .

(iii) Ble hoffech chi fyw tasech chi'n ennill y loteri?

. . . .

. . . .

b. *Ysgrifennwch baragraff (tua 100 o eiriau) yn cymharu yr ardal ych chi'n byw ynddi nawr a'r ardal roch chi'n byw ynddi yn blentyn. Os ych chi'n byw yn yr un ardal, disgrifiwch sut mae'r ardal wedi newid. Ysgrifennwch eich paragraff ar ddarn o bapur.*

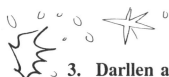

3. Darllen a Deall.

Pan oedd Mirain Haf yn ei chewynnau, roedd ei thad yn arfer waldio pennau gyda phastwn a galw pobl yn "Stiwpid!" ac roedd gan ei mam broblem agwedd a phin trwy ei thrwyn. Yr eglurhad? Cafodd Mirain Haf ei magu yn sŵn caneuon a giamocs y grŵp cabaret, Hapnod.........

Ond, erbyn hyn, hi yw'r seren – a Cefin a Rhian Roberts sy'n gorfod gwylio eu merch yn cael mwy a mwy o sylw.

Fel ei rhieni, mae hi'n gallu canu, dawnsio a dynwared ac mae ei hwyneb yn gyfarwydd i eisteddfodwyr ar hyd a lled Cymru. Mae pobl yn ei 'nabod fel enillydd y wobr gyntaf am ganu unawd dan 16 yng Ngŵyl Cerdd Dant Cymru ym Mhenybont a bydd y werin yn ei chofio fel y ferch ysgol 'cheeky' ar raglen Noson Lawen S4C. Ei her diweddaraf yw portreadu merch sipsi yng nghyflwyniad Cwmni Bara Caws o ddrama **Y Wraig** gan Wil Sam.

Mae llawer o'r diolch am ddoniau a hyder Mirain Haf yn ddyledus i'r ffaith bod ei rhieni yn rhedeg Ysgol Ddrama Glanaethwy ar lannau'r Fenai.

"Mae wedi fy helpu i lot fawr," meddai. "Wi'n siwr fy mod i wedi cael gwneud tipyn o bethau am fod pobl yn fy 'nabod trwy Mam a Dad."

Mae y "tipyn o bethau" hynny yn cynnwys llawer o ymddangosiadau ar S4C ar raglenni fel **Iasau**, **Manawyden** ac **Uned 5**. Ac er ei bod yn dal yn ddisgybl 14 oed yn Ysgol Tryfan, Bangor, yn ei bywyd go iawn, dydy hynny ddim wedi ei rhywstro rhag ennill llond dresel o wobrau am ganu, actio, dawnsio a llefaru ynghyd â phrif wobr y Grand Prix yng Ngŵyl Ieuenctid Ryngwladol Bwlgaria eleni.

"Dw i ddim wedi gwneud llawer o waith llwyfan oni bai am gystadlu, ond hoffwn i weithio ym myd theatr mewn rhyw ffordd ar ôl gorffen yn yr ysgol...... Wi'n hoffi gwneud pethau newydd – tria i unrhywbeth unwaith."

Ac ie, cael mynd i Hollywood a gwneud ei henw ymysg sêr y sgrin fawr yw ei huchelgais, a phwy a ŵyr na fydd hynny'n digwydd yn y dyfodol? Mae'r dalent – a'r awydd – yno...........

(Karen Owen, *Wyneb y Mis*, Golwg 1996 – addasiad)

Geirfa:

eglurhad	–	explanation	giamocs	–	antics
dynwared	–	to impersonate	cyfarwydd	–	familiar
unawd	–	solo	her	–	challenge
cyflwyniad	–	production	doniau	–	talents
yn ddyledus i'r ffaith	–	owing to the fact	ymddangosiad	–	appearance
uchelgais	–	ambition	awydd	–	desire

Atebwch y cwestiynau canlynol ar y darn darllen:

1. Pwy yw rhieni Mirain? . . . .

2. Beth yw eu gwaith nhw? . . . .

3. Beth yw oed Mirain? . . . .

4. Beth enillodd hi ym Mhenybont? . . . .

5. Pa wobrau eraill mae hi wedi ennill? . . . .

    . . . .

6. Ble mae hi'n mynd i'r ysgol? . . . .

7. Ar ba raglenni ar S4C mae Mirain wedi gweithio? . . . .

    . . . .

8. Pa ran gymerodd hi yn y ddrama Y Wraig? . . . .

9. Beth fasai Mirain yn hoffi ei wneud ar ôl gadael yr ysgol? . . . .

    . . . .

10. Beth yw ei huchelgais hi? . . . .

HOLLYWOOD

A <u>Beth amdana i?</u>

Cofiwch

Beth am fynd?

Dysgwch nawr

Beth amdana i?
Beth amdanat ti?
Beth amdani hi?
Beth amdano fe?
Beth amdanon ni?
Beth amdanoch chi?
Beth amdanyn nhw?
Beth am John?

Gyda'ch partner, llenwch y bylchau:

Mae e'n edrych _____ ni

Maen nhw'n chwilio _____ ti

Ron i'n siarad _____ chi ddoe

Beth _____ Siân?

Talais i _____ nhw y tro diwethaf

Pwy sy'n gofalu _____ hi?

Wi wedi clywed _____ fe

Ych chi'n chwilio _____ i?

Fi sy'n gofalu _____ chi yn ystod eich ymweliad

Maen nhw'n edrych _____ y plant

13

B **Yn**

Dysgwch

Mae e'n ymddiried ynddo i	ymddiried –
Mae e'n ymddiried ynddot ti	to trust
Mae e'n ymddiried ynddo fe	
Mae e'n ymddiried ynddi hi	
Mae e'n ymddiried ynddon ni	
Mae e'n ymddiried ynddoch chi	
Mae e'n ymddiried ynddyn nhw	
Mae e'n ymddiried yn Angharad	

Edrychwch ar y lluniau gyda'ch partner, ac ysgrifennwch frawddeg debyg i'r rhai yn yr enghreifftiau (write sentences similar to those in the examples).

Dyma'r gwely wi'n cysgu ynddo fe

Dyma'r ysgol wi'n gweithio ynddi hi

Dyma'r siopau wi'n siopa ynddyn nhw

_____

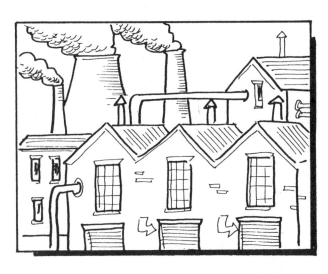

C **HEB**

Dysgwch

Beth wnei di hebddo i?
Beth wna i hebddot ti?
Beth wnei di hebddo fe?
Beth wnei di hebddi hi?
Beth wnei di hebddon ni?
Beth wna i hebddoch chi?
Beth wnei di hebddyn nhw?
Beth wnei di heb y plant?

Ch *Cwblhewch y brawddegau isod* (complete the following sentences) – *mae ail hanner y frawddeg o dan y bocs. Byddwch yn ofalus – mae deg yn y bocs a deuddeg o dan y bocs.*

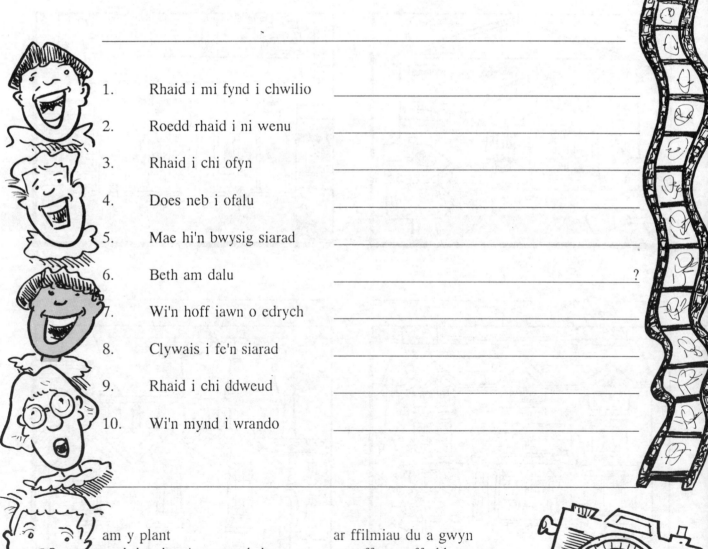

1.   Rhaid i mi fynd i chwilio _____

2.   Roedd rhaid i ni wenu _____

3.   Rhaid i chi ofyn _____

4.   Does neb i ofalu _____

5.   Mae hi'n bwysig siarad _____

6.   Beth am dalu _____?

7.   Wi'n hoff iawn o edrych _____

8.   Clywais i fe'n siarad _____

9.   Rhaid i chi ddweud _____

10.   Wi'n mynd i wrando _____

am y plant
wrth bawb sy'n cymryd rhan
i ti dy hunan yn gyntaf
am rywbeth newydd i'r parti
â neb o gwbl
am y diodydd gyda'r bwyd

ar ffilmiau du a gwyn
ar y ffotograffydd
â phawb cyn gwneud dim
ar y plant yn canu
i'r pennaeth am ganiatâd
am y swydd newydd ddoe

D. *Y tro hwn, llenwch y bylchau – gyda'ch partner:*

1. Dw i ddim yn credu .... y sêr

2. Mae hi'n gofalu .... nhw

3. Dyma'r gwely cysgais i .... fe neithiwr

4. Maen nhw'n mynd i wrando .... ti

5. Beth .... nhw?

6. Wi'n mynd i chwilio .... hi

7. Gofynnwch .... mi te!

8. Edrycha .... hon!

9. Ddwedais i ddim byd .... chi

10. Gwenon nhw .... ni

17

1. *Llenwch y bylchau:*

am	**yn**	**heb**
amdana i	 i	hebddo i
.... ti	.... ti	.... ti
.... fe	.... fe	.... fe
amdani	.... hi	hebddi ....
amdanon ni	ynddon ni	hebddon ....
.... chi	ynddoch chi	hebddoch ....
.... nhw	ynddyn	hebddyn ....

o	**ar**	**wrth**
.... i	arna	 i
.... ti	arnat	.... ti
.... fe	arno	.... fe
ohoni hi	.... hi	.... hi
ohonon	.... ni	.... ni
ohonoch	.... chi	.... chi
ohonyn	.... nhw	wrthyn nhw

2. *Llenwch y bylchau:*

Gwenwch .... y 'dyn!

Chwilia .... dy got nawr!

Edrychwch .... y gêm!

Dywedwch .... y tiwtor!

Siaradwch .... fe!

Gofynnwch .... John!

Gwrandewch .... y gerddoriaeth!

Talwch .... y tocyn!

Gofalwch .... y plant bach!

3. *Ych chi wedi penderfynu cael parti y mis nesaf. Ysgrifennwch lythyr byr at ffrind yn gofyn iddo/iddi ddod i'r parti.*

4. *Darllenwch y CRYNO–HYSBYS isod (allan o <u>GOLWG</u>) ac atebwch y cwestiynau:*

CRYNO HYS-BYS

A oes rhywbeth gennych i werthu neu angen ei brynu? Os oes, dyma'ch cyfle. Cewch hysbysebu yn yr adran newydd hon am ddim ond £7.99 yn cynnwys T.A.W. Anfonwch eich manylion gyda'ch siec/archeb arian yr. daladwy i
Golwg Cyf. erbyn bore dydd Gwener at Mary Davies, Golwg, Blwch Post 4, Llanbedr Pont Steffan, Dyfed, SA48 7LX.

Hysbyseb hyd at 20 gair am £7.99   Hysbyseb hyd at 30 gair am £11.99   Hysbyseb hyd at 40 gair am £15.98

Peidiwch ag anghofio cynnwys eich rhif ffôn neu'ch cyfeiriad yn yr hysbyseb a nodwch gyda 'M' os ydych yn fasnachwr.

YN EISIAU
Cavalier 1600/1700 F neu G reg mewn cyflwr da. Car i dynnu carafan. 0570 470697 dydd.

AMRYWIOL
Tiwniwr Piano - Gerallt Lewis, Pendre, Llan-non, Ceredigion. Hyfforddwyd yn llawn yn Ysgol Llunio ac Adfer Offerynnau Cerdd Cymru i wneud pob math o waith ar eich piano.

Cerddoriaeth. Ategolion cerddorol. Llyfrau. Crefftau Cymreig. Cardiau. I gyd ar gael yn Siop Gorwelion, Aberaeron. 0545 570636.

AR WERTH
Gwelyau 3 troedfedd o £59.95 Gwelyau 4 troedfedd neu 4'6" o £95.00. *Vinyl* o £2.50 y llathen sgwâr; Carpedi o £2.50 y llathen sgwâr. Carpedi Stanley, Penmaenmawr 623341. M

Poptai Rayburn, wedi'u hailgyflyru a'u gwarantu, dewis eang. Briciau tân, gratiau, boeleri, rhannau sbâr, ac ati. Llangybi 0570 45200. M

Bargeinion dilys!
1. Cyfrifiadur-Argraffydd - 'Amstrad Personal Computer - Word Processor, PCW8256'. 2. Allweddell - 'Casiotone MT 100 Keyboard' gyda stand. Ffôn: 0745577-379 (Llansannan).

Tŷ 'dormer', wedi'i amgylchynu gan tua erw o erddi aeddfed. Steil 'Tudor', digonedd o gymeriad yn Llanbedr Pont Steffan, Dyfed. Cysylltwch ag asiantaeth Morgan a Davies 0570 423623.

ARGRAFFYDD CITIZEN SWIFT 24E, blwydd oed - fel newydd. Pris i'w drafod. Ffôn min nos 0559 384620.

DIGWYDDIADAU
Penwythnos Awyr Agored - Canolfan Iaith Nant Gwrtheyrn, 14-16 Mai. Cysylltwch â Siôn Meredith 0970 622143.

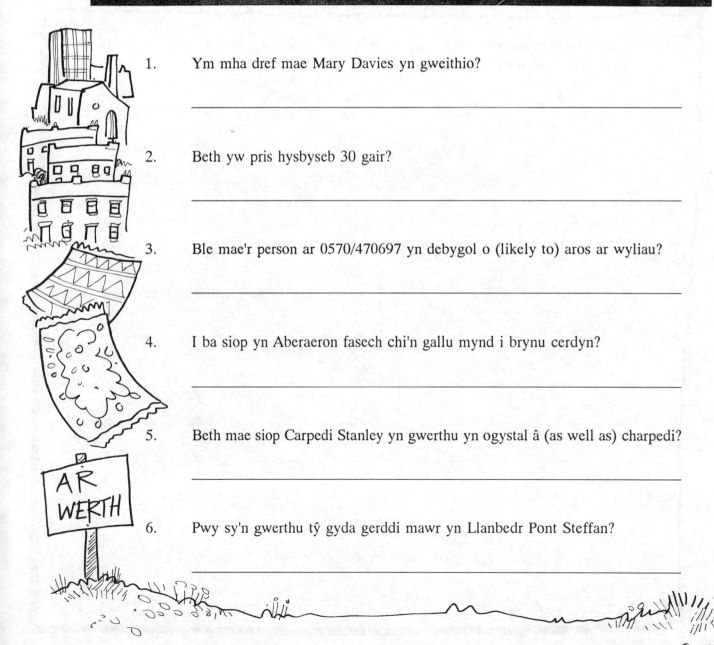

1. Ym mha dref mae Mary Davies yn gweithio?

_____

2. Beth yw pris hysbyseb 30 gair?

_____

3. Ble mae'r person ar 0570/470697 yn debygol o (likely to) aros ar wyliau?

_____

4. I ba siop yn Aberaeron fasech chi'n gallu mynd i brynu cerdyn?

_____

5. Beth mae siop Carpedi Stanley yn gwerthu yn ogystal â (as well as) charpedi?

_____

6. Pwy sy'n gwerthu tŷ gyda gerddi mawr yn Llanbedr Pont Steffan?

_____

7. Pryd mae'n rhaid i chi ffonio os ych chi eisiau prynu argraffydd blwydd oed?

_____

8. Pa fath o bobl ddylai fynd i Nant Gwrtheyrn ar 14–16 Mai?

_____

UNED PEDWAR DEG UN

Y NEWYDDION

A   <u>Wi'n cael fy nhalu</u>

Cofiwch

Ces i fy nhalu (I was paid)
Cafodd y llyfr ei ysgrifennu (The book was written)
Cawson nhw eu coginio (They were cooked)

Dysgwch nawr

Wi'n cael fy nhalu (I am paid/I'm being paid)
Wi'n cael fy hyfforddi (I am trained/I'm being trained)
Wi'n cael fy nghyflogi (I am employed/I'm being employed)

Mae'r llyfr yn cael ei ysgrifennu (The book is being written)
Mae'r llythyr yn cael ei deipio (The letter is being typed)
Mae'r bwyd yn cael ei goginio (The food is being cooked)

Maen nhw'n cael eu sychu (They are being dried)
Maen nhw'n cael eu recordio (They are being recorded)
Maen nhw'n cael eu rhyddhau (They are being released)

Gyda'ch partner, atebwch y cwestiynau. Dilynwch y patrwm.

1.   Mae Bethan yn gweithio i'r BBC. Pwy sy'n ei chyflogi?

        <u>Mae Bethan yn cael ei chyflogi gan y BBC</u>

2.   Mae cwmni dillad enwog yng Ngharno ym Mhowys. Pwy sy'n gwneud y dillad?

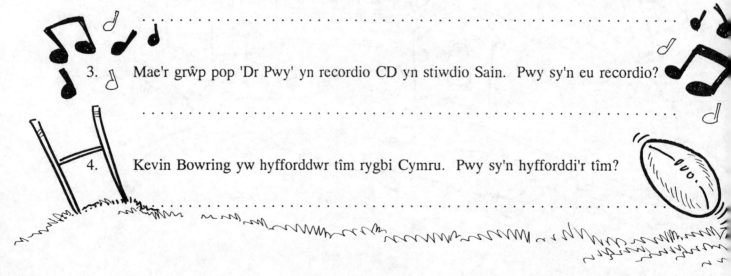

3.   Mae'r grŵp pop 'Dr Pwy' yn recordio CD yn stiwdio Sain. Pwy sy'n eu recordio?

4.   Kevin Bowring yw hyfforddwr tîm rygbi Cymru. Pwy sy'n hyfforddi'r tîm?

22

5.   Mae Thomas Cooke yn trefnu gwyliau i Ffrainc. Pwy sy'n trefnu'r gwyliau?

. . . .

6.   Mae Delia Smith yn coginio'r bwyd. Pwy sy'n ei wneud?

. . . .

7.   Mae Siân Thomas yn cyflwyno 'Heno'. Pwy sy'n cyflwyno'r rhaglen?

. . . .

8.   Mae Richard Branson yn agor siop newydd. Pwy sy'n agor siop?

. . . .

9.   Mae'r cwmni'n talu'r bil ffôn. Pwy sy'n ei dalu?

. . . .

10.   Mae Siôn yn gweithio i Bosch. Pwy sy'n ei gyflogi?

. . . .

B   Y NEWYDDION

Cofiwch

Cafodd e ei ladd (He was killed)
Cafodd merch ei hanafu (A girl was injured)
Cafodd y plant eu cosbi (The children were punished)
Cafodd y carcharor ei ryddhau (The prisoner was released)

Ond, os ych chi'n gwrando ar y newyddion ar Radio Cymru, byddwch chi'n clywed ffurfiau gwahanol (different forms). *Maen nhw'n fwy ffurfiol* (They are more formal).

Dysgwch

Lladdwyd y dyn   **Cosbwyd y plant**
Anafwyd merch   **Rhyddhawyd y carcharor**

Gyda'ch partner, newidiwch y brawddegau i'r ffurfiau mwy ffurfiol. Dilynwch y patrwm.

1.   Cafodd y tŷ ei adeiladu.

        Adeiladwyd y tŷ

2.   Cafodd ffatri ei hagor

        _____

3.   Cafodd y bil ei dalu

        _____

4.   Cafodd tri dyn eu hanafu

        _____

5.   Cafodd y gwesty ei werthu

        _____

6.   Cafodd y llyfr ei ysgrifennu

        _____

7.   Cafodd y gân ei chanu

        _____

8.   Cafodd y bechgyn eu carcharu

        _____

9.   Cafodd y bobl eu saethu (shoot)

        _____

10.   Cafodd y car ei drwsio

        _____

C *Gwrandewch ar eich tiwtor yn darllen y bwletin newyddion isod ac yna darllenwch y penawdau* (headlines) *gyda'ch partner cyn i chi lenwi'r grid.*

1. Lladdwyd un dyn ac anafwyd tri arall mewn damwain ddifrifol ar yr M4 yn gynnar y bore 'ma. Achoswyd y ddamwain gan gar aeth allan o reolaeth (out of control).

2. Carcharwyd John Phillips, 27 oed, yn Llys y Goron, Abertawe, am bum mlynedd. Cafwyd e'n euog (he was found guilty) o dorri i mewn i ddegau o dai yn ystod cyfnod o chwe mis.

3. Penodwyd Betsan Williams yn Gadeirydd S4C. Ganwyd Mrs Williams, sy'n 45 oed, yng Nghaernarfon, ond mae hi a'i theulu yn byw nawr yn Nhreorci.

4. Enillodd Caerdydd yn eu gêm gartref ddoe yn erbyn Wrecsam. Y sgôr oedd tair gôl i un a sgoriwyd pob gôl yn y chwarter olaf.

5. Mae ci defaid du a gwyn ar goll yn ardal Machynlleth, Powys. Gelert yw ei enw sy ar ei goler. Gwelwyd ef ddiwethaf am naw o'r gloch bore ddoe ar y fferm ym mhentref Penegoes. Cystylltwch â ni yma yn y BBC os gwelwch chi fe.

	Pwy?	Ble?	Y Newyddion
1.			
2.			
3.			
4.			
5.			

GWAITH CARTREF

1. *Trowch y frawddeg o'r amser gorffennol i'r amser presennol.* (Change the sentences from the past tense to the present tense.) *Dilynwch y patrwm.*

1. Cafodd y tŷ ei adeiladu

   Mae'r tŷ yn cael ei adeiladu

2. Ces i fy nhalu ar ddiwedd y mis

   _____

3. Cawson nhw eu llosgi

   _____

4. Cafodd merch ei phenodi

   _____

5. Cafodd y llyfr ei deipio

   _____

6. Cafodd y llythyr ei ysgrifennu

   _____

7. Ces i fy nghosbi

   _____

8. Cafodd y plentyn ei fagu yn Awstralia

   _____

9. Gest ti dy hyfforddi?

   _____

10. Gawson nhw eu harestio?

    _____

26

2. *Y tro yma, gwnewch y brawddegau anffurfiol yn rhai ffurfiol* (Make the informal sentences formal).

1. Ces i fy nhalu

   _____

2. Cafodd y siop ei hagor

   _____

3. Cafodd dyn ei ladd

   _____

4. Cawson ni ein cosbi

   _____

5. Cafodd y gân ei hysgrifennu

   _____

6. Cawson nhw eu harestio

   _____

7. Cafodd y tai eu hadeiladu

   _____

8. Cafodd saith o ddynion eu carcharu

   _____

9. Ces i fy hyfforddi

   _____

10. Cafodd y goeden ei phlannu

    _____

3. *Nawr, gwnewch y brawddegau ffurfiol yn rhai anffurfiol* (Make the formal sentences informal).

1. Ganwyd fi yn 1958

   _____

2. Talwyd fi ddoe

   _____

3. Adeiladwyd y tŷ

   _____

4. Arestiwyd ni

   _____

5. Magwyd nhw yng Nghwm Tawe

   _____

6. Canwyd y gân

   _____

7. Talwyd y bil gan y cwmni

   _____

8. Saethwyd tri o bobl

   _____

9. Carcharwyd merch

   _____

10. Galwyd enw'r dyn

   _____

4. *Ysgrifennwch eich penawdau eich hun* (your own headlines) *yn defnyddio'r geiriau sy'n cael eu rhoi i chi. Dilynwch y patrwm.*

Saethu   tri dyn   Gogledd Iwerddon   ddoe

<u>Saethwyd tri dyn yng Ngogledd Iwerddon ddoe</u>

1.   Carcharu   llanc deunaw oed   Llys y Goron, Abertawe   chwe blynedd

    _____

2.   Sgorio   dwy gôl   Mark Hughes   gêm gwpan

    _____

3.   Anafu   hanner cant o bobl   damwain awyren   Brazil

    _____

4.   Penodi   prifathro newydd   Prifysgol Cymru Aberystwyth

    _____

5.   Cynhyrchu (produce) mwy o geir nag erioed   cwmni Ford   y tri mis diwethaf

    _____

Edrychwch ar y lluniau isod gyda'ch partner a lluniwch gwestiynau ac atebion sy'n debyg i'r rhai yn yr enghreifftiau.

Pryd buoch chi ar drên ddiwetha? (When were you last on a train?)
Pryd buest ti ar long ddiwetha?

Bues i ar long yr haf diwetha. Buon ni yn y Caribi. Ron ni eisiau gwyliau diog.

Bues i yng Nghaerdydd. Ron i eisiau prynu dillad newydd.

Buon ni yn y sŵ. Ron ni eisiau diwrnod allan.

UNED PEDWAR DEG DAU

TRAFOD GWYLIAU

A. *Cofiwch:*

Es i   –   I went

Dysgwch nawr:

Bues i	yn y pwll nofio	ddoe
Fues i ddim	yn y sinema	yr wythnos diwetha
	yn Ffrainc	y llynedd

Ble buoch chi ddoe?
Ble buest ti neithiwr?

Fuoch chi yn y dre y bore 'ma?
Fuest ti i ffwrdd dros y penwythnos?

Yr ateb: **Do**   –   yes
                         Naddo   –   no

B. *Gyda'ch tiwtor a gyda'ch partner, ymarferwch:*

Bues i	yn y tŷ	neithiwr
Buest ti	yn Sbaen	yr haf diwetha
Buodd e	yn yr ysgol	brynhawn ddoe
Buodd hi	yn y dre	ar ddydd Sadwrn
Buodd y plant	yn y clwb ieuenctid	nos Wener
Buon ni	yn America	y llynedd
Buoch chi	yn y dosbarth	nos Fercher
Buon nhw	yn Legoland	yn ystod y gywliau

31

GAIR I GALL

1. *Gorffennol (past tense)* **BOD** *yw hwn. Mae'n cael ei ddefnyddio (is used) yn aml i drafod teithiau (travels) neu ymweld â llefydd (visiting places).*

2. *Byddwch chi'n falch o glywed taw* **DO/NADDO** *yw'r YES/NO i'r personau i gyd!!!*

3. *Byddwch chi'n clywed* **Bu** *yn lle* **Buodd** *wrth wrando ar y newyddion, e.e.:*

   Ddoe bu farw tri o bobl mewn damwain ar ffordd yr A5 ger Corwen pan fu eu car mewn gwrthdrawiad *(collision)* **â bws.**

C.   *Mewn grwpiau o dri, trafodwch eich gwyliau y llynedd.*
Dyma rai cwestiynau i'ch helpu chi i ddechrau siarad.

Ble buest ti ar dy wyliau y llynedd?/Ble buoch chi ar eich gwyliau y llynedd?
Am faint fuest ti yno?/Am faint fuoch chi yno?
Beth wnest ti yno?/Beth wnaethoch chi yno?
Gest ti rywbeth diddorol i fwyta neu yfed?/Gawsoch chi rywbeth diddorol i fwyta neu yfed?
Oedd y bobl yn neis?
Oedd pethau'n ddrud?
Sut roedd y tywydd?

Wedyn, trafodwch eich gwyliau eleni.

Wyt ti wedi trefnu dy wyliau eleni?/Ych chi wedi trefnu eich gwyliau eleni?
Ble hoffet ti fynd?/Ble hoffech chi fynd?
Gyda phwy hoffet ti fynd?/Gyda phwy hoffech chi fynd?
Tasai dewis gyda ti, fasau'n well gyda ti yrru, mynd ar drên neu hedfan?/Tasai dewis gyda chi, fasai'n well gyda chi yrru, mynd ar drên neu hedfan?
Ble hoffet ti aros/Ble hoffech chi aros: mewn gwesty, carafan, pabell neu fflat?

Nawr gyda'ch partner, penderfynwch ble buodd y bobl yn y lluniau isod a thrafodwch beth wnaethon nhw/beth gawson nhw/a sut roedd y tywydd.

1.

CH. *Atebwch y cwestiynau canlynol yn y negyddol (negative). Dilynwch yr esiampl.*

1. Fuest ti i fyny'r Wyddfa ddoe?   **Naddo. Fues i ddim.**

2. Fuoch chi i fyny Tŵr Eiffl yn ystod eich gwyliau? . . . .

3. Fuodd y plant ar yr olwyn fawr neithiwr? . . . .

4. Fuodd y teulu draw dros y Sul? . . . .

5. Fuodd hi yn Nant Gwrtheyrn yr haf diwethaf? . . . .

6. Fuodd e ar y traeth brynhawn ddoe? . . . .

7. Fuodd Eirian yn y coleg ddoe? . . . .

8. Fuodd y car yn y garej yr wythnos diwetha? . . . .

9. Fuoch chi yn yr ysbyty y llynedd? . . . .

D.   **CHWARAE RÔL**

Beth fasech chi'n ei wneud yn y sefyllfa yma (this situation)?

Buoch chi yn Llundain ar y trên dros y penwythnos.
Roedd y daith yn ôl dydd Sul yn ofnadwy.
Ych chi'n mynd i weld Rheolwr yr Orsaf (Station Manager) yng Nghaerdydd i gwyno.

Gyda'ch partner, cymerwch dro i fod yr un sy'n cwyno a'r Rheolwr.

34

GWAITH CARTREF

1. *Atebwch gyda YES/NO:*

		✓	X
1.	Fuoch chi yn Sbaen y llynedd?	_____	_____
2.	Gawsoch chi amser da?	_____	_____
3.	Oedd y tywydd yn braf?	_____	_____
4.	Oedd y bobl yn neis?	_____	_____
5.	Yfoch chi Sangria?	_____	_____
6.	Brynoch chi lawer o anrhegion?	_____	_____
7.	Fasech chi'n mynd yno eto?	_____	_____
8.	Fasai'r teulu'n hoffi mynd i rywle arall?	_____	_____
9.	Ych chi wedi penderfynu ble i fynd eto?	_____	_____
10.	Ych chi am aros adre eleni?	_____	_____

2. YSGRIFENNU LLYTHYR

Ych chi newydd ddod allan o'r ysbyty. Ysgrifennwch lythyr at y bobl oedd yn gofalu amdanoch chi i ddiolch iddyn nhw.

3. LLENWI FFURFLEN

Ych chi newydd ddod yn ôl o wyliau gyda chwmni teithio Heulwen Haf. Mae'r cwmni wedi gofyn i chi lenwi'r ffurflen (ar y tudalen nesaf) i ddweud beth roeddech chi'n ei feddwl o'r gwyliau.

CWMNI HEULWEN HAF

Adroddiad (Report) ar wyliau.

Ble buoch chi?: . . . .

Dyddiadau'r gwyliau: . . . .

Sut teithioch chi?: . . . .

Pam dewisoch chi'r gwyliau yma? (50 – 70 o eiriau)

. . . .

. . . .

. . . .

. . . .

. . . .

. . . .

. . . .

. . . .

Beth roeddech chi'n feddwl o safon (standard) y bwyd, y llety (accommodation) a'r gwasanaeth (service) yn ystod y gwyliau?
(50 – 70 o eiriau).

. . . .

. . . .

. . . .

. . . .

. . . .

. . . .

Sut treulioch chi'ch amser yn ystod y gwyliau (50 o eiriau)?

. . . .

. . . .

. . . .

. . . .

. . . .

. . . .

Unrhyw sylwadau (observations) eraill (30 o eiriau)

. . . .

. . . .

. . . .

. . . .

. . . .

Fasech chi'n mynd ar un o wyliau **Cwmni Heulwen Haf** eto? . . . .

. . . .

4.   DARLLEN A DEALL

Darllenwch y llythyr canlynol ac yna atebwch y cwestiynau.

Annwyl Megan,

Dyma fi yn cadw at fy addewid ac yn anfon atat ti i ddweud fy mod i wedi cyrraedd adre. Bydd rhaid i ni gael cyfarfod achos bod cymaint o hanesion 'da fi i ti.

Sut mae'r teulu? Fuest ti ym mhriodas dy frawd yn Efrog? Sut hwyl gawsoch chi? Beth gest ti i'w wisgo yn y diwedd? A'r merched, beth gawson nhw? Cofia adael i mi gael yr hanes a gweld y lluniau – beth mae dy dad yn ei feddwl o'i ferch yng nghyfraith newydd a'i theitl? Arglwyddes lle ddwedaist ti hefyd?

Sôn am briodas, buon ni ar y 'Sound of Music Trail' pan yn Awstria nawr – sef trip o gwmpas i weld y llefydd oedd yn gysylltiedig â stori'r teulu Vonn Trapp – roedden nhw'n werth eu gweld gan fy mod i wedi mwynhau'r ffilm, fel rwyt ti'n gwybod bues i'n ei gweld hi tua deuddeg gwaith! Y peth oedd yn braf oedd doedden nhw ddim wedi newid unlle; yr unig syrpreis ges i oedd mynd i eglwys fach hardd yn y wlad lle bu'r briodas ac nid yng Nghadeirlan Saltzberg – ond roedd yn rhy ddi–nod i'r ffilmiau! Roedd popeth arall heb ei newid o gwbl, y cartref, y catacwns, y dafarn ac ati.

Fel rwyt ti'n gwybod buon ni am dair wythnos yn Awstria; arhoson ni yn Wildschonau, ardal fynyddig heb fod yn rhy bell o Saltzberg. Arhosais i mewn gwesty bychan ar gyrion tref fechan St Johann, yn cael ei redeg gan deulu annwyl a chroesawus iawn, hen ŵr a gwraig – Mr a Mrs Eckhard a'u mab a'u merch yng nghyfraith.

Buon ni ar dripiau wedi eu trefnu ar ein cyfer i weld y llefydd o ddiddordeb a'r arweinydd yn gwybod ei ffeithiau a gyda digon o ddiddordeb ac yn mwynhau rhannu ei straeon a'r traddodiadau. Roy oedd ei enw, mab i wraig o Awstria oedd wedi priodi milwr o Brydain ac wedi byw yn Milton Keynes, ond wedi dychwelyd at ei dad–cu a'i fam–gu ac wedi setlo yn yr ardal ac wedi gwirioni ar ei wreiddiau.

Dydd Mercher diwetha bues i gyda Margaret, merch o Swindon ar drip i Heidlberg – gwlad neu dref y 'Student Prince' – tra buodd Wil yn dal bar i fyny!! Ron i'n edrych ymlaen at y trip am ddyddiau o gofio'r ffilm yn y Plaza, ond am siom! Doedd e ddim byd yn debyg a dywedodd Roy taw mewn stiwdio y gwnaethon nhw'r ffilm bron i gyd. Ond roedd y dref yn hardd iawn a buon ni i fyny yn y castell a chael gweld y gasgen win enfawr – basai gorsaf heddlu Bangor yn mynd iddi bron. Safon ni ar ei phen hi a chael tynnu ein llun, cei di ei weld pan ddoi di draw.

Beth am nos Fercher nesa? – A i â ti adre os doi di'n syth o'r gwaith – neu bydd hwn yn hirach nag Epistol Paul at y Corinthiaid a dwyt ti ddim wedi cael chwarter y storiau eto! Mae un dda am Wil yn fflyrtio gyda chwaer Hans – ond mae e'n gallu dweud honno wrthot ti ei hun.

Rho alwad ffôn i mi amser cinio yfory a gwela i ti nos Fercher.

Cofion cynnes atat ti a'r teulu

Olwen.

Geirfa;

addewid	–	promise	ar gyrion	–	on the outskirts
arweinydd	–	courier/leader	arglwyddes	–	lady
straeon	–	stories	yn gysylltiedig â	–	associated with
traddodiadau	–	traditions	wedi gwirioni ar	–	besotted with
cadeirlan	–	cathedral	gwerth eu gweld	–	worth seeing
enfawr	–	enormous	tollau y tlodion	–	tolls of the poor
yn ddi–nod	–	insignificant			

1. Ble buodd Olwen ar ei gwyliau? ....

2. Pwy briododd Arglwyddes? ....

3. Sawl gwaith buodd Olwen yn gweld y ffilm 'The Sound of Music'? ....

4. Pa fath o ardal yw Wildschonau? ....

5. Pwy gafodd ei fagu yn Milton Keynes? ....

6. Pam cawson nhw eu siomi yn Heidlberg? ....

7. Sut bydd Megan yn mynd adre o dŷ Olwen? ....

UNED PEDWAR DEG TRI

SIARAD AM Y TEULU A'R CARTREF

A.   *Cofiwch:*

fy nheulu i   fy oed i
dy deulu di   dy oed di
ei deulu e   ei oed e
ei theulu hi   ei hoed hi
ein teulu ni   ein hoed ni
eich teulu chi   eich oed chi
eu teulu nhw   eu hoed nhw

Dysgwch nawr:

Faint yw oed eich plant chi?   Maen nhw'n dair a phum mlwydd oed
                                   (They're three and five)
Faint yw eu hoed nhw?   Mae Sioned yn bedair oed ac mae Owain yn ddwy oed.

Faint yw oed eich mab chi?   Mae e'n flwydd oed. (He's one)
Faint yw ei oed e?   Mae e'n ddwy oed.
                                   Mae e'n dair oed.
                                   Mae e'n bedair oed.

Faint yw oed eich merch chi?   Mae hi'n bump oed.
Faint yw ei hoed hi?   Mae hi'n un ar ddeg oed.
                                   Mae hi'n dair ar ddeg oed.
                                   Mae hi'n ddwy ar bymtheg oed.

Faint yw oed dy chwaer di?   Mae hi'n ddwy ar hugain oed.
**   dy frawd di?**   Mae e'n bedair ar hugain oed.
**   dy fam di?**   Mae hi'n chwe deg oed.
**   dy dad di?**   Mae e dros saith deg oed. (He's over seventy)

Faint yw oed y parot?   Dwy oed.
**   y ci?**   Tair oed.
**   y gath?**   Pedair oed.

Faint yw oed eich tŷ chi?   Mae e'n dair ar hugain oed.
** eich neuadd bentre chi?**   Mae hi dros gant oed.
** eich ysgol leol chi?**   Mae hi'n hanner can oed eleni. (It's fifty years old this
                                   year)

40

GAIR I GALL

*Mae **OED** bob amser yn fenywaidd. Byddwch chi'n gweld a chlywed **BLWYDD** oed.*

e.e
dwy flwydd oed
tair blwydd oed
pedair blwydd oed
pum mlwydd oed

ond mae pobl yn ei adael allan fel arfer.

B. SGWRSIO

Holwch eich tiwtor am ei deulu/ei theulu estynedig (extended family). *Mae'n bosibl y byddwch yn defnyddio rhai o'r geiriau hyn:*

nith	–	niece	**nai**	–	nephew
cyfnither	–	cousin (female)	**cefnder**	–	cousin(male)
chwaer yng nghyfraith	–	sister–in–law	**ewythr**	–	uncle
wyres(au)	–	grandaughter(s)	**wyr(ion)**	–	grandson(s)

ar ochr fy mam	–	on my mother's side
ar ochr fy nhad	–	on my father's side
yn perthyn o bell	–	distantly related
yn perthyn trwy briodas	–	related through marriage

Ceisiwch ofyn cwestiwn sy'n codi o beth mae eich tiwtor wedi ei ddweud, e.e.

Tiwtor:	Roedd modryb 'da fi ar ochr fy nhad yn byw yn Denver Collorado. Anti Lisi oedd ei henw hi.
Dosbarth:	Symudodd hi i America i fyw neu gafodd hi ei geni yno?
Tiwtor:	Cafodd hi ei geni a'i magu yn Llanelli ond priododd hi filwr o America yn ystod yr ail ryfel byd a symudodd hi yno i fyw yn fuan wedyn.
Dosbarth:	Ydy hi'n dal yn fyw?
Tiwtor:	Nac ydy. Ces i lythyr ddwy flynedd yn ôl gan ei chyfreithiwr hi yn dweud ei bod hi wedi marw. Roedd ei gŵr hi wedi marw ers rhai blynyddoedd.
Dosbarth:	Oedd plant 'da nhw?
Tiwtor:	Nac oedd. Ond roedd ffortiwn bach reit neis 'da nhw.
Dosbarth:	Adawon nhw'r arian i chi?
Tiwtor:	Naddo. Yn anffodus, roedd llythyr y cyfreithiwr yn gofyn i mi drefnu bod popeth yn mynd i gartref cathod yn Llanelli!

Mewn grwpiau o dri, holwch eich gilydd am eich teuluoedd. Dyma rai cwestiynau i'ch helpu chi.

Oes teulu mawr 'da chi?
Ych chi'n cadw mewn cysylltiad â llawer o'ch teulu estynedig?
Oes teulu 'da chi'n byw mewn lleoedd diddorol?
Ydyn nhw wedi bod yma?
Oes/oedd rhywun yn eich teulu chi'n siarad Cymraeg?
Ych chi'n meddwl bod bywyd teuluol (family life) **heddiw yn wahanol i'r hyn oedd e ers talwm?**

Os ych chi wedi dod â lluniau gyda chi i'r dosbarth, defnyddiwch nhw yn y sgwrs. Dyma rai brawddegau i'ch helpu chi i drafod eich teulu.

Mae Tomos yn y coleg am un flwyddyn arall.
Bydd Modryb Gwen yn hanner cant y flwyddyn nesa.
Maen nhw'n dod i aros gyda ni eleni.
Ron nhw'n dod drosodd o America bob blwyddyn.
Mae hi yn yr ail flwyddyn yn yr ysgol gynradd.
Byddwn ni'n ffonio i ddymuno blwyddyn newydd dda.
Yn ni'n byw yma ers blynyddoedd.
Dw i ddim wedi ei weld e/ei gweld hi ers blynyddoedd!
Roedd hi'n athrawes am dri deg saith o flynyddoedd.

GAIR I GALL

Dysgoch chi **blwyddyn/blynedd/blynyddoedd** *yn Uned 28.*
Ych chi'n defnyddio **blwyddyn** *yn yr unigol* (singular).

e.e.   **un flwyddyn**

Ych chi'n defnyddio **blynyddoedd** *yn y lluosog (plural) ond ddim yn syth ar ôl rhif* (a number).

e.e   dw i ddim wedi eich gweld chi ers blynyddoedd

Ych chi'n defnyddio **blynedd** *yn syth ar ôl rhif.*

e.e.   **dwy flynedd**

C. *Gyda'ch partner, llenwch y bylchau gan ddefnyddio'r treiglad cywir yn y brawddegau canlynol:*

1. Mae e'n frawd i .... (my father)

2. Dyma Gwyn, ... (my cousin)

3. Ydy hi'n perthyn i ....? (your mother)

4. Faint yw ....? (her age)

5. Mae'r efeilliaid yn fawr iawn am .... (their age)

6. Beth yw ....? (his name)

7. Ych chi'n gallu gweld .... (our house) yn y llun.

8. Mae tair ysgol 'da nhw yn .... (their area)

9. Oes efeilliaid yn ....? (your family)

10. Dyma Siwan gyda .... (her boyfriend)

CH. CHWARAE RÔL

Ych chi wedi colli eich waled. Ewch at yr heddlu. (Eich partner fydd y plismon).

Mae eich plentyn wedi mynd ar goll mewn siop fawr yng nghanol y dre. Gofynnwch i'ch partner (sy'n gweithio yn y siop) am help i ddod o hyd iddo fe/iddi hi.

43

GWAITH CARTREF

1. EDRYCH YN ÔL

Paratowch frawddegau ar gyfer y gêm ganlynol i'w chwarae yn y wers nesaf.

Ar ôl glanio ar y sgwâr defnyddiwch y geiriau arni mewn brawddeg. Y gosb (penalty) am betruso (hesitate) neu ailadrodd (repetition) yw mynd ôl i'r dechrau.

Y DECHRAU →	Flwyddyn yn ôl	Ddwy flynedd yn ôl	Dair blynedd yn ôl	Bedair blynedd yn ôl ⬇
Ddeg mlynedd yn ôl ⬇	Wyth mlynedd yn ôl	Saith mlynedd yn ôl	Chwe blynedd yn ôl	Bum mlynedd yn ôl ←
Flwyddyn yn ôl →	Ddwy flynedd yn ôl	Dair blynedd yn ôl	Bedair blynedd yn ôl	Bum mlynedd yn ôl ⬇
Flwyddyn yn ôl ⬇	Ddeg mlynedd yn ôl	Wyth mlynedd yn ôl	Saith mlynedd yn ôl	Chwe blynedd yn ôl ←
Ddwy flynedd yn ôl →	Dair blynedd yn ôl	Bedair blynedd yn ôl	Bum mlynedd yn ôl	Chwe blynedd yn ôl ⬇
Y DIWEDD	Flwyddyn yn ôl	Ddeg mlynedd yn ôl	Wyth mlynedd yn ôl	Saith mlynedd yn ôl ←

2. *Llenwch y bylchau yn y ddeialog ganlynol.*

TRAFOD PLANT

Glenys: Sut mae, Mair! Sut .... ti? Dw i ddim wedi dy weld ti ers blynyddoedd.

Mair: Sut wyt ti'n cadw, Glenys?

Glenys: Yn iawn, diolch – digon .... waith yn gofalu am y plant, cofia.

Mair: Oes plant 'da ti? .... i ddim yn gwybod dy fod ti'n briod! Ers pryd felly?

Glenys: Wel, mae Tom yn ....(4) nawr – fe yw'r hena.

Mair: Faint sy gyda ti?

Glenys: Dim ond dau. Mae Siân dwy flynedd yn ifancach .... Tom.

Mair: Ydy e wedi dechrau yn yr ysgol?

Glenys: ....(✓). Mae e'n mynd i Ysgol y Dderwen. Ond mae Siân yn rhy ifanc, wrth ....

Mair: Fallai ei fod e yn yr un dosbarth â'n Llinos ni. Dechreuodd hi yn y Dderwen eleni hefyd.

Glenys: Yn nosbarth Mrs Thomas mae hi?

Mair: .... (✓). Mae Eleri a Mair bum mlynedd yn henach na hi. Maen nhw'n mynd i Ysgol Llangain. Penderfynon ni dylai Llinos fynd i'r Dderwen.

Glenys: Ond mae Steffan yn yr Ysgol Uwchradd erbyn hyn, ydy e?

Mair: Ydy. Yn Ysgol Myrddin. .... e'n ddeuddeg cyn bo hir.

Glenys: Wel, pwy fasai'n meddwl!

Mair: Rhaid .... mi fynd nawr. Gwela i ti yn yr ysgol, fallai.........

3. Y Tŷ Blêr

Ych chi'n byw gyda phobl anghofus (forgetful). *Mae rhai o'r teulu wedi colli pethau. Llenwch y bylchau isod gan ddefnyddio'r treiglad cywir.*

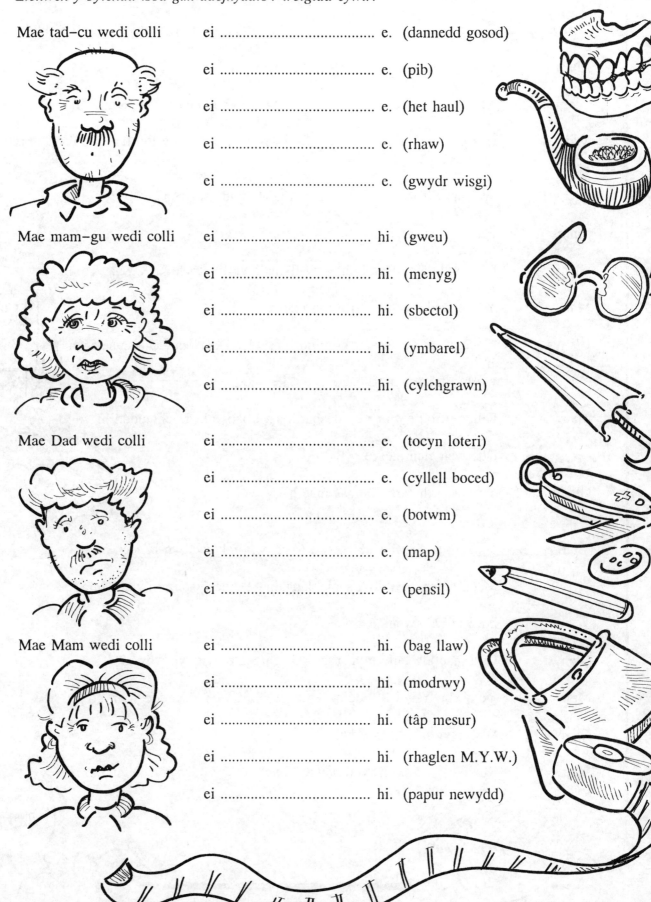

Mae tad–cu wedi colli

ei .... e. (dannedd gosod)

ei .... e. (pib)

ei .... e. (het haul)

ei .... e. (rhaw)

ei .... e. (gwydr wisgi)

Mae mam–gu wedi colli

ei .... hi. (gweu)

ei .... hi. (menyg)

ei .... hi. (sbectol)

ei .... hi. (ymbarel)

ei .... hi. (cylchgrawn)

Mae Dad wedi colli

ei .... e. (tocyn loteri)

ei .... e. (cyllell boced)

ei .... e. (botwm)

ei .... e. (map)

ei .... e. (pensil)

Mae Mam wedi colli

ei .... hi. (bag llaw)

ei .... hi. (modrwy)

ei .... hi. (tâp mesur)

ei .... hi. (rhaglen M.Y.W.)

ei .... hi. (papur newydd)

Mae Beti wedi colli

ei .... hi. (crib gwallt)

ei .... hi. (esgid)

ei .... hi. (pwrs)

ei .... hi. (record)

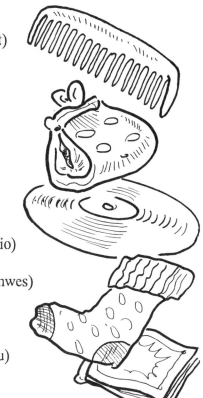

Mae Wil wedi colli

ei .... e. (pêl)

ei .... e. (llong hwylio)

ei .... e. (llygoden anwes)

ei .... e. (hosan)

ei .... e. (llyfr storiau)

4. *Yn y wers nesaf byddwch chi'n trafod ble mae pethau gyda'ch partner. Mae'r pethau sydd ar goll yn y llun ar y tudalen nesaf. Dilynwch y patrwm.*

A. Mae Mam-gu wedi colli ei sbectol hi.
   Ych chi wedi gweld ei sbectol hi yn rhywle?
B. Ydw. Mae ei sbectol hi ar ei phen hi.

A. Mae Dad wedi colli ei bensil e.
   Wyt ti wedi gweld ei bensil e yn rhywle?
B. Ydw. Mae ei bensil e y tu ôl i'w glust e.

Dyma rai geiriau i'ch helpu chi:

ar ben	–	on top
o dan	–	underneath
wrth ymyl	–	near
wrth ochr	–	beside
i'r dde	–	to the right of
i'r chwith	–	to the left of
gyferbyn â	–	opposite
y tu ôl i	–	behind
o flaen	–	in front of
yng nghanol	–	in the middle of

48

5. DARLLEN A DEALL

ALI YASSINE

Ganwyd a magwyd fi yn ardal y dociau yng Nghaerdydd. Bues i yn yr ysgol yng Nghaerdydd a dw i wedi treulio'r rhan fwyaf o fy mywyd i yno.

Cafodd fy nhad a fy mam i eu geni yn Yr Aifft ac mae teulu gyda fi yn dal i fyw yn Yr Aifft a Somalia. Eifftes ydy fy ngwraig a phriodon ni yn Alexandria yn Yr Aifft. Roedd llawer o'r teulu yn y briodas – o Gymru ac o Brydain, o Saudi Arabia a'r Dwyrain Canol yn ogystal â'r Aifft.

Efallai eich bod chi wedi gweld y rhaglen ar S4C yn rhoi hanes ein priodas ni – rhaglen o'r enw 'Pyramid Serch'. Erbyn hyn mae merch saith mis oed o'r enw Sara gyda ni.

Dechreuais i ddysgu Cymaeg tua saith mlynedd a hanner yn ôl ar y Cwrs Wlpan yng Nghaerdydd.

Pam penderfynais i ddysgu Cymraeg? Roeddwn yn teimlo'n od byw yng Nghymru heb allu siarad Cymraeg. Doedd e ddim yn gwneud llawer o wahaniaeth yng Nghaerdydd, ond pan oeddwn i'n mynd i rannau eraill o Gymru, roeddwn i'n teimlo fel rhywun o wlad arall. Mae'n bwysig iawn gallu cyfathrebu gyda phobl ble bynnag dych chi'n mynd.

Doedd dim llawer iawn o Gymraeg yn yr ysgol pan oeddwn i'n blentyn. Y cof cyntaf sy gyda fi o glywed Cymraeg oedd ar raglenni teledu i blant fel 'Teliffant' oedd ymlaen yn y bore pan oeddwn i'n aros i weld cartwns!

Pan oeddwn i tua deg neu ddeuddeg mlwydd oed roeddwn i'n byw tua dau gan llath o'r Stadiwm Cenedlaethol ac roedd criw ohonon ni'n arfer mynd yno i helpu tynnu'r gorchuddion o'r cae. Hwn oedd 'cyfnod aur' rygbi yng Nghymru pan oedd chwaraewyr fel Barry John, J.P.R. Williams a Gareth Edwards yn chwarae a chlywais i Gymraeg yn y fan honno hefyd.

Yn anffodus, dw i ddim yn gallu siarad Arabeg erbyn hyn, ond mae fy ngwraig i'n gallu, a dyn ni'n mynd i wneud yn siwr bod Sara yn gallu siarad Cymraeg, Arabeg a Saesneg. Bydd hi'n bendant yn mynd i ysgol Gymraeg pan fydd hi'n ddigon hen.

Dw i'n brysur iawn ar hyn o bryd gyda fy ngwaith i fel cyflwynydd teledu a radio ac fel actor. Dw i'n cyflwyno'r rhaglen gylchgrawn RAP, a rhaglen ar Radio Cymru bob nos Wener. Bydd pedwaredd gyfres Glan Hafren, cyfres ddrama am fywyd ysbyty, ymlaen ar S4C cyn bo hir – dw i wedi bod yn actio ynddi ers y dechrau.

Dw i wrth fy modd gyda fy ngwaith i achos ei fod e mor amrywiol a dw i'n mwynhau bod yn dad hefyd. Dw i eisiau gweithio yn Llundain a thramor er mwyn dysgu mwy, ond dw i eisiau dod yn ôl i Gymru yn y pendraw. Dw i ddim eisiau colli'r iaith.

(Portread o Prentis, 1996 – addasiad)

49

Geirfa:

treulio	–	to spend (time)	**yn ogystal â**	–	as well as
cyfathrebu	–	to communicate	**cof**	–	memory
llath	–	yard	**gorchudd(ion)**	–	cover(s)
cyfnod aur	–	golden age	**cyflwynydd**	–	presenter
rhaglen gylchrawn	–	magazine programme	**tramor**	–	abroad
amrywiol	–	varied			
yn y pendraw	–	in the long run, finally			

Atebwch y cwestiynau canlynol ar y darn darllen:

1. Ble cafodd Ali ei eni a'i fagu? . . . .

2. O ble mae ei wraig e'n dod yn wreiddiol? . . . .

3. Beth oedd 'Pyramid Serch'? . . . .

4. Pam roedd e eisiau dysgu Cymraeg? . . . .

5. Ble clywodd e Gymraeg y tro cyntaf? . . . .

6. Beth oedd Ali a'i ffrindiau'n arfer wneud yn y Stadiwm Cenedlaethol? . . . .

   . . . .

7. Mae Ali eisiau i Sara, ei ferch, siarad tair iaith. Beth ydyn nhw? . . . .

   . . . .

8. Beth yw ei waith e? . . . .

9. Pa fath o raglen yw 'Glan Hafren'? . . . .

10. Beth yw ei uchelgais e? . . . .

    . . . .

A. Mynegi Barn

Cofiwch:

Wi'n credu bod y rhaglen am saith.
Wi'n credu taw am saith mae'r rhaglen.
Wi'n meddwl bod y rhaglen yn ardderchog.
Wi'n meddwl taw hi oedd yr orau.

Dysgwch nawr:

Ron i'n credu bod .....
Ron i'n credu taw .....
Ron i'n meddwl bod ....
Ron i'n meddwl taw ....

Gyda'ch tiwtor a gyda'ch partner ymarferwch:

Beth och chi'n feddwl	o'r ffilm?	Ron i'n meddwl	bod hi'n ddiflas
Beth ot ti'n feddwl	o'r ddrama?	Ron i'n credu	bod hi'n ardderchog
	o'r rhaglen?		bod hi'n gyffrous
	o'r actor?		fod e'n rhywiol
	o'r actores?		bod hi'n ffantastig
	o'r actorion?		bod nhw'n grèt

Beth och chi'n feddwl	o'r sioe?	Ron i'n credu	bod hi'n wastraff amser
Beth ot ti'n feddwl	o'r diddanwr?	Ron i'n meddwl	fod e'n dda
	o'r ddiddanwraig?		bod hi'n anniddorol
	o'r disrifwr?		fod e'n ddwl
	o'r ddigrifwraig?	Don i ddim yn meddwl bod hi'n ddoniol iawn	

Byddwch chi'n clywed hyn hefyd:

Beth oeddet ti'n feddwl	o'r gêm	Roeddwn i'n meddwl bod hi'n wael
	o'r chwaraewyr?	bod nhw'n ofnadwy
	o'r cystadleuwyr?	bod nhw'n beryglus
	o'r canlyniad?	Doeddwn i ddim yn meddwl fod e'n deg.

Gallwch chi ddefnyddio hyn hefyd:

Beth ych chi'n feddwl	**o'r llyfr?**	**Wi'n meddwl**	**fod e'n dda iawn**
	o'r nofel?	**Wi'n credu**	**bod hi'n wych**
	o'r cylchgrawn?		**fod e'n ddiddorol.**
	o'r papur newydd?		**fod e'n sothach**
	o'r stori?		**Dw i ddim yn credu bod hi'n wir**

Gwnewch restr o'r ffilmiau, rhaglenni, llyfrau a.y.y.b. ych chi'n gyfarwydd â nhw (familiar with) *a defnyddiwch y brawddegau uchod i'w disgrifio nhw i'ch partner.*

Geirfa:

cyffrous	– exciting	rhywiol	–	sexy
anniddorol	– uninteresting	dwl	–	silly
doniol	– funny	gwael	–	poor
gwych	– excellent	sothach	–	rubbish
gwastraff amser	– waste of time			

GAIR I GALL

Sut ych chi'n gwybod pryd i ddefnyddio **'bod'** a **'taw'**?

Wi'n credu bod Ffred yn athro. – Gosodiad (statement)

Wi'n credu taw athro yw Ffred. – Cymal pwysleisiol (emphatic clause)

Bydd y cymylau *(clauses)* bob ochr i **'taw'** yn sefyll ar eu pen eu hunain. e.e:

Wi'n credu + Athro yw Ffred.

Wi'n credu taw athro yw Ffred.

B. Cymharu

da	**mor dda â** **cystal â**	**gwell na**	**gorau**
drwg	**cynddrwg â**	**gwaeth na**	**gwaetha(f)**
diddorol	**mor ddiddorol â**	**mwy diddorol na**	**mwya(f) diddorol**

52

Gyda'ch tiwtor a gyda'ch partner ymarferwch y deialogau isod:

A. Weloch chi 'The Man Who Would Be King' dros y Pasg?

B. Do

A. Beth o'ch chi'n feddwl o'r ffilm?

B. Ron i'n credu bod hi'n gyffrous.

A. Beth o'ch chi'n feddwl o'r actorion?

B. Ron i'n credu bod Sean Connery yn dda ond roedd Michael Caine yn well.

A. Oedd y ffilm cystal â'r ffilmiau eraill?

B. Oedd wir. Ron i'n credu taw hi oedd yr orau.

A. Wi'n meddwl bod Eastenders yn rhaglen wael.

B. Dw i ddim yn cytuno! Dyw hi ddim cynddrwg â hynny. Mae Brookside yn waeth ac wi'n credu taw Neighbours yw'r gwaetha ohonyn nhw i gyd!!

A. Ych chi wedi darllen nofelau Bob Eynon?

B. Ydw. Wi wedi darllen pob un.

A. Pa un oedd yn well 'da chi?

B. Ron i'n credu bod 'Perygl yn Sbaen' yn fwy diddorol nag 'Arian am Ddim'. Ond wi'n credu taw'r 'Giangster Coll' yw'r mwya diddorol.

C. *Atebwch y cwestiynau. Dilynwch y patrwm:*

Pa un yw'r ffilm orau ych chi wedi'i gweld?

e.e. Wi'n meddwl taw 'The Man Who Would Be King' yw hi.

P'un yw'r rhaglen orau ar y teledu?

_____

P'un yw'r ddrama orau ych chi wedi'i gweld erioed?

_____

P'un yw'ch hoff actores chi?

_____

P'un yw'ch hoff ddiddanwr chi?

_____

P'un yw'ch hoff fabolgampwr/wraig (athlete) chi?

_____

P'un yw'r papur newydd gorau?

_____

Pa gar yw'r gorau i'r teulu?

_____

CH.

1. *Siaradwch mewn grwpiau o dri am bapurau newydd a chylchgronau ych chi'n eu darllen.*
    Dyma rai cwestiynau i'ch helpu chi:

Ych chi'n darllen papur newydd bob dydd?Pa un?

Pa rannau o'r papur ych chi (a) bob amser yn eu darllen?
(b) byth yn eu darllen?

Fyddi di'n prynu cylchgronau?Pa rai?

2. *Dwedwch wrth eich partner p'un oedd y parti gorau/gwaetha(f) buoch chi ynddo erioed.*

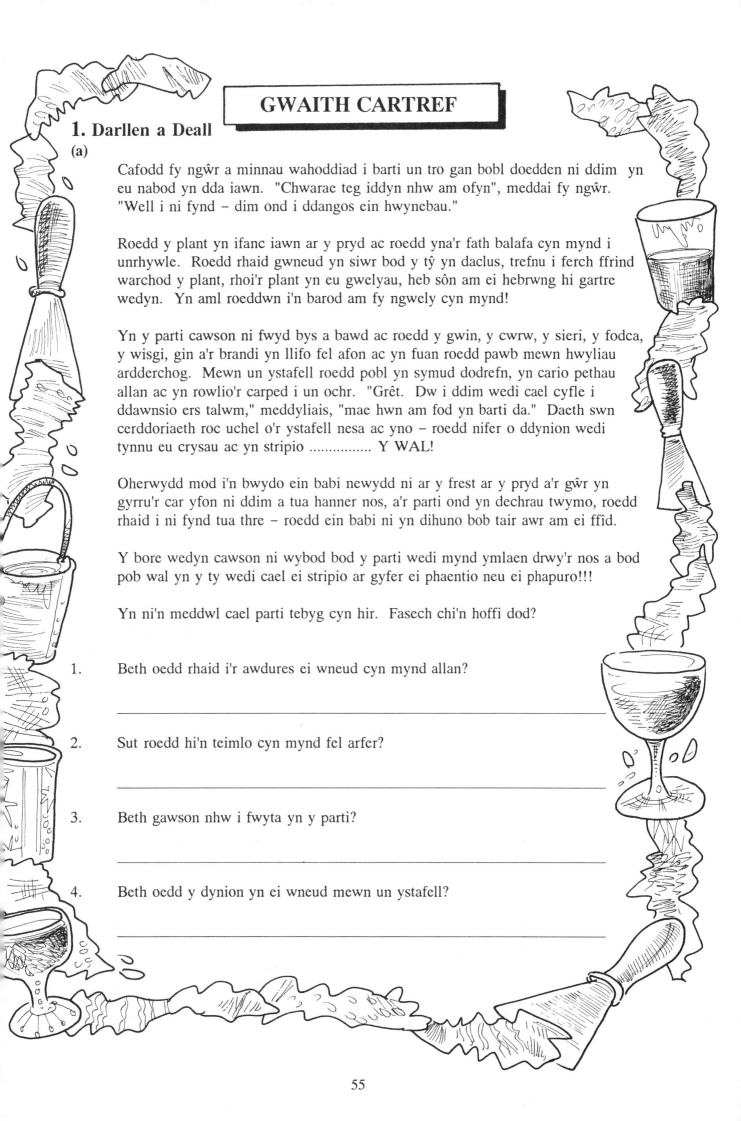

GWAITH CARTREF

1. Darllen a Deall

(a)

Cafodd fy ngŵr a minnau wahoddiad i barti un tro gan bobl doedden ni ddim yn eu nabod yn dda iawn. "Chwarae teg iddyn nhw am ofyn", meddai fy ngŵr. "Well i ni fynd – dim ond i ddangos ein hwynebau."

Roedd y plant yn ifanc iawn ar y pryd ac roedd yna'r fath balafa cyn mynd i unrhywle. Roedd rhaid gwneud yn siwr bod y tŷ yn daclus, trefnu i ferch ffrind warchod y plant, rhoi'r plant yn eu gwelyau, heb sôn am ei hebrwng hi gartre wedyn. Yn aml roeddwn i'n barod am fy ngwely cyn mynd!

Yn y parti cawson ni fwyd bys a bawd ac roedd y gwin, y cwrw, y sieri, y fodca, y wisgi, gin a'r brandi yn llifo fel afon ac yn fuan roedd pawb mewn hwyliau ardderchog. Mewn un ystafell roedd pobl yn symud dodrefn, yn cario pethau allan ac yn rowlio'r carped i un ochr. "Grêt. Dw i ddim wedi cael cyfle i ddawnsio ers talwm," meddyliais, "mae hwn am fod yn barti da." Daeth swn cerddoriaeth roc uchel o'r ystafell nesa ac yno – roedd nifer o ddynion wedi tynnu eu crysau ac yn stripio .... Y WAL!

Oherwydd mod i'n bwydo ein babi newydd ni ar y frest ar y pryd a'r gŵr yn gyrru'r car yfon ni ddim a tua hanner nos, a'r parti ond yn dechrau twymo, roedd rhaid i ni fynd tua thre – roedd ein babi ni yn dihuno bob tair awr am ei ffîd.

Y bore wedyn cawson ni wybod bod y parti wedi mynd ymlaen drwy'r nos a bod pob wal yn y ty wedi cael ei stripio ar gyfer ei phaentio neu ei phapuro!!!

Yn ni'n meddwl cael parti tebyg cyn hir. Fasech chi'n hoffi dod?

1. Beth oedd rhaid i'r awdures ei wneud cyn mynd allan?

_____

2. Sut roedd hi'n teimlo cyn mynd fel arfer?

_____

3. Beth gawson nhw i fwyta yn y parti?

_____

4. Beth oedd y dynion yn ei wneud mewn un ystafell?

_____

5. Pam nad arhosodd yr awdures a'i gŵr?

_____

6. Beth ddigwyddodd ar ôl iddyn nhw fynd gatre?

_____

(b)

(o Golwg)

Be sy'mlaen
Mai 27 - Mehefin 2

DRAMA

TALIESIN (ARAD GOCH)
*Theatr Sherman, Caerdydd, **Sadwrn, Mai 27, 11.00am***
Hanes Gwion Bach a'r Pair Hud a'r dewin-fardd Taliesin.

Y CARDI BACH
Theatr y Gromlech, Crymych.
Llun - Mercher, Mai 29 - 31, 7.30pm
Sioe ieuenctid am hanes y rheilffordd o
Hendygwyn i Aberteifi.

UN DARN O DIR
Ysgol Uwchradd Aberteifi.
Llun - Mercher, Mai 29 - 31, 7.30pm
Gwedd newydd i helyntion y Beca.

GAN BWYLL
Pafiliwn yr Eisteddfod.
Mercher a Iau, Mai 31 a Mehefin 1, 7.30pm
Stori Pwyll a Rhiannon a rheibio cefn gwlad.

CELF

ANN CATRIN EVANS
*Oriel Pendeitsh, Caernarfon, **tan Mehefin 4***
Oriau: Drwy'r wythnos, 10.00am - 5.30pm
Gwaith haearn.

CADWYNAU CELF
*Canolfan Crefftau Rhuthun, **tan Mehefin 6***
Oriau: Llun - Sadwrn, 10.00am - 5.00pm,
Sul, 12.00pm - 5.00pm
Cadwynau a thorchau o gasgliad y Cyngor Crefftau.

A TO Z WORDS AND IMAGES
Canolfan Celfyddydau Taliesin, Abertawe,
tan Mehefin 10
Oriau: Llun, 11.00am - 5.00pm, Mawrth - Gwener,
11.00am - 6.00pm, Sadwrn, 12.00pm - 6.00pm
Printiadau diweddar Paul Peter Piech.

DIVERSE SIGNALS
*Ffotogallery, Caerdydd, **tan Mehefin 17***
Oriau: Mawrth - Sadwrn, 10.30am - 5.30pm
Ffotograffiaeth gan fenywod yng Nghymru

INTIMATE PORTRAITS
*Oriel Glynn Vivian, Abertawe, **tan Mehefin 18***
Oriau: Mawrth - Sul, 10.30am - 5.30pm
Gweithiau gan artistiaid o Gymru.

DYFYNIADAU
*Llyfrgell ac Oriel Dinbych, **tan Mehefin 24***
Oriau: Llun, Mercher a Gwener, 9.30am - 7.00pm,
Mawrth a Iau, 9.30am - 5.30pm, Sadwrn, 9.30am - 4.00pm
Gwaith gan Sidney Haven, Jennie Riley a Phillip Haven.

DATGUDDIAD(AU)
*Amgueddfa Genedlaethol Cymru, Caerdydd, **tan Mehefin 25***
Oriau: Mawrth - Sadwrn, 10.00am - 5.00pm,
Sul, 2.30pm - 5.00pm
Dehongliad saith artist o gasgliad yr Amgueddfa.

DAWNS

"MUR FY MEBYD ..."
(CWMNI DAWNS CAMRE CAIN)
*Theatr Mwldan, Aberteifi, **Gwener, Mehefin 2, 8.00pm***
Perfformiad wedi ei ysbrydoli gan gerddi Waldo Williams.

CERDD

SUPER FURRY ANIMALS
*Canolfan Chwaraeon Porthmadog. **Sadwrn, Mai 27, 8.00pm***

STEVE EAVES
*Clwb Rygbi Aberaeron, **Sadwrn, Mai 27, 8.00pm**.*

GERAINT LOVGREEN A'R ENW DA
*Tŷ Newydd, Sarn Mellteyrn, **Sadwrn, Mai 27, 8.00pm**.*

DAFYDD IWAN A'R BAND
*Cwmann, Llanbed, **Sadwrn, Mai 27, 8.00pm**.*

PIGYN CLUST
*Clwb Rygbi'r Wyddgrug, **Sul, Mai 28, 7.30pm**.*

DAFYDD IWAN, TECWYN IFAN
A GWENDA OWEN
Pafiliwn Eisteddfod yr Urdd ger Boncath,
***Mawrth, Mai 30, 7.30pm**.*

56

Geirfa:

pair hud   – magical cauldron   dewin fardd   – bardicmagician
gwedd newydd   – a new look at   gan bwyll   – take care
helyntion   – troubles   rheibio   – to spoil
cefn gwlad   – countryside   cadwynau   – chains
torchau   – collars   diweddar   – recent
dyfyniadau   – quotations   datguddiadau – revelations
dehongliad   – interpretation   casgliad   – a collection
mebyd   – youth   ysbrydoli   – to inspire
cerddi   – poems

1.   Pa fath o ddrama yw 'Y Cardi Bach'?

     _____

2.   Beth sy ymlaen yng Nghanolfan Celfyddydau Taliesin tan Mehefin 10^{fed}?

     _____

3.   Beth yw 'Mur fy mebyd'?

     _____

4.   Ble mae Dafydd Iwan yn perfformio ar Mai 30^{ain}?

     _____

2. Ysgrifennu

LLENWCH Y BYLCHAU (GAPS) YN Y DARN HWN

Cyrhaeddodd y noson fawr _____ diwedd. Roedd Siân wedi bod yn edrych ymlaen _____ barti Nadolig y cwmni. Doedd y merched yn y swyddfa ddim wedi siarad am ddim byd _____ ers wythnosau – beth i'w wisgo, sut i gyrraedd y gwesty ac ati. Doedd neb yn poeni llawer am sut basen nhw'n mynd _____ ar ddiwedd y noson!

_____(gadael) Siân y gwaith yn gynnar ar noson y parti. Cododd tacsi hi am saith _____ gloch. Roedd llawer o bobl yn y parti ond doedd Siân ddim yn adnabod chwarter _____ (o) nhw am fod y cwmni'n fawr.

Ar ôl pryd o _____ blasus iawn a _____ o win nag arfer, sylwodd Siân ar ddyn golygus iawn ym _____(pen) arall yr ystafell. "Pwy _____ hwnna?" _____(gofyn) hi i'w ffrind. "Pennaeth y cwmni," meddai Lowri, oedd wedi bod yn gweithio i'r cwmni ers gadael yr ysgol chwe _____ (blwyddyn) yn ôl.
 "

Wnei di ddod i siarad _____ fo?" gofynnodd Siân.
 "_____ (✓), wrth gwrs," meddai Lowri.

Cerddodd y _____ (2) ferch draw _____ y pennaeth oedd yn codi rhywbeth o'r llawr. Rhoiodd Siân ei llaw hi ar ei ben e gan feddwl dweud bod ei _____ (gwallt) e'n edrych yn hyfryd. Yn anffodus, ddaeth y geiriau _____ allan achos ei _____ hi'n dal wig!

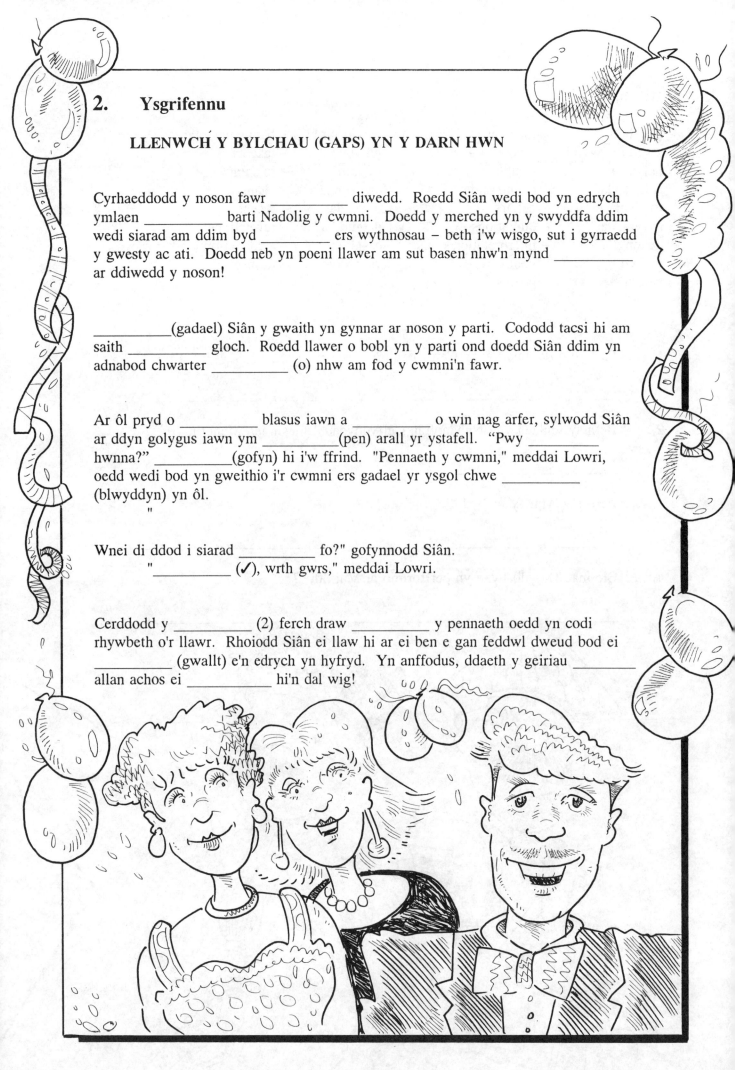

UNED PEDWAR DEG PUMP
SIARAD AM DDIDDORDEBAU

A. *Cofiwch:*

Wi'n hoff o chwaraeon
Wi'n mwynhau mynd i'r theatr
Dw i ddim yn rhy hoff o arddio

Dysgwch nawr:

Mae diddordeb gyda fi mewn drama
Mae diddordeb gyda fi yn y theatr
Does dim diddordeb gyda fi mewn caneuon pop
Does dim ddiddordeb gyda fi yn y Beatles

Gyda'ch tiwtor a gyda'ch partner ymarferwch:

Siarad amdanoch chi

Mae diddordeb gyda fi	mewn garddio	Mae diddordeb gyda fi	yn yr ardd
	mewn drama		yn y theatr
Roedd diddordeb gyda fi	mewn cerddoriaeth	Roedd diddordeb gyda fi	yn y Beatles
	mewn hanes		yn hanes y pentref
	mewn celf	Does dim diddordeb gyda fi	yn y gêm
Does dim diddordeb gyda fi	mewn chwaraeon	Does dim diddordeb gyda fi	yn y pwnc
		Does dim diddordeb gyda fi	ynddo fe o gwbl

Beth yw'ch diddordebau chi?
Oes diddordeb gyda ti mewn gosod blodau?
Oes diddordeb gyda ti mewn pysgota?
Faint o ddiddordeb sy gyda chi yn y gemau Olympaidd?
Oedd diddordeb gyda chi mewn casglu rhywbeth pan och chi'n blentyn?

Siarad am bobl eraill

Mae diddordeb gyda fe mewn gwylio adar.
Mae diddordeb gyda hi ym myd natur
Roedd diddordeb gyda fy merch mewn tynnu lluniau
Roedd diddordeb gyda William mewn anifeiliaid
Doedd dim diddordeb gyda fe mewn trin ceir
Doedd dim diddordeb gyda hi ynddo fe o gwbl

Siarad am y teulu

Mae diddordeb gyda hi mewn hwylio
Does dim diddordeb gyda ni mewn hen ffilmiau
Mae diddordeb mawr gyda Gethin a Gwenda mewn mynd i sêl cist car
Mae dau ohonon ni â diddordeb mewn dawnsio
Yn ni wrth ein bodd yn cerdded y mynyddoedd
Does dim diddordeb gyda ni ynddo fe nawr

GAIR I GALL

Sut mae penderfynu pryd i ddefnyddio **mewn** neu **yn**:

Mae diddordeb gyda fi mewn drama – amhenodol (non–specific)

Mae diddordeb gyda fi yn y theatr – penodol (specific)

Gyda'ch partner – defnyddiwch y lluniau ar y tudalen nesaf i ymarfer trafod eich diddordebau.

B.   *Llenwch y bylchau gan ddefnyddio* **yn** *neu* **mewn***:*

Mae diddordeb mawr gyda nhw _____ (in the third world)

Oedd diddordeb gyda hi _____? (in animals)

Roedd diddordeb gyda nhw _____ (in children)

Mae diddordeb gyda nhw _____ (in Mair)

Does dim diddordeb gyda'r bobl _____ (in the house)

Roedd diddordeb gyda Dafydd _____ (in politics)

Mae diddordeb gyda fi _____ (in the trip)

Fasai diddordeb mawr gyda nhw _____? (in travelling)

Mae tri ohonon ni â diddordeb _____ (in gardening)

Oes diddordeb gyda ti _____? (in it)

C.   Sgwrsio:

Gofynnwch i'ch partner:

Beth mae e/hi yn mwynhau'i wneud?
Beth oedd e/hi yn arfer ei wneud 'slawer dydd?
Beth fydd e/hi yn ei wneud   yn ei amser/hamser hamdden?
                                dros y penwythnos?
                                yr wythnos nesa?
                                yn ystod yr haf?

Beth fasai fe/hi'n hoffi'i wneud   tasai   fe/hi'n ifancach?
                                     tasai   mwy o amser/arian gyda fe/hi?
                                     tasai   fe/hi'n gallu?

Ydy e/hi yn 'nabod rhywun sydd â diddordebau anghyffredin?   (unusual)

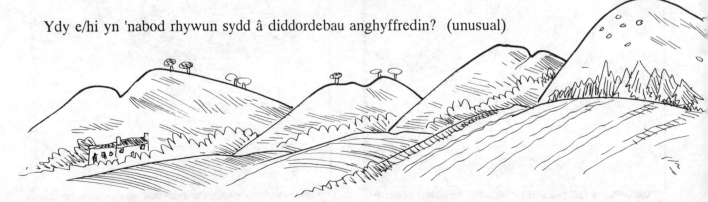

CH. *Siaradwch ag aelodau eraill o'r dosbarth am eu diddordebau nhw a cheisiwch ddod o hyd i dri diddordeb sy gyda chi yn gyffredin (in common).*

	ENW	DIDDORDEB 1.	DIDDORDEB 2.	DIDDORDEB 3.
1.				
2.				
3.				
4.				
5.				
6.				

Wedyn cyfrwch faint ohonoch chi sy â diddordeb yn yr un pethau.

e.e.   Mae diddordeb gyda pump ohonon ni mewn paragleidio.
Mae pedwar ohonon ni'n gwneud neidio bynji
Mae dau ohonon ni yn mwynhau gosod blodau
Dim ond un ohonon ni sy'n gallu canu
Does neb ohonon ni yn siarad Swahili!

GWAITH CARTREF

1. *Darllenwch y darn (passage) isod. Yna atebwch y cwestiynau yn Gymraeg ac yn eich geiriau eich hun (os ydy hynny'n bosibl).*

Ymweld â ffrind ar ôl 30 mlynedd o ysgrifennu

Ers 30 mlynedd, mae Nesta Eluned o Lanfairpwll ar Ynys Môn wedi bod yn cyfnewid llythyrau â Barbara Snyder sy'n byw ger Philadelphia.

Yn ystod yr haf, bu Nesta, sy'n gweithio yn Adran Bersonél Cyngor Sir Gwynedd yng Nghaernarfon, yn ymweld â Barbara yn yr Unol Daleithiau.
Dyna'r tro cyntaf i'r ddwy gyfarfod ond daeth y ddwy'n ffrindiau mawr yn syth.

"Mae Barbara'n byw yn Sonderton, tre fach debyg iawn i Lanfairpwll, ryw awr o daith o Philadelphia", meddai Nesta. "Mae'n ardal amaethyddol fel Ynys Môn.

Er bod Barbara wedi bod yng Nghymru unwaith, chafodd hi ddim cyfle i ymweld â Nesta. Hwn oedd y tro cyntaf i Nesta fynd i'r Unol Daleithiau, felly roedd hi'n teimlo braidd yn nerfus. "Basai'r gwyliau wedi bod yn hollol ofnadwy tasai Barbara a fi ddim yn dod ymlaen".

Ond bu'r gwyliau'n llwyddiant mawr. Roedd Nesta'n teimlo bod y ddwy'n debyg iawn i'w gilydd, y ddwy yn famau sengl, y ddwy â'r un diddordebau, y ddwy'n edrych ar fywyd yr un ffordd.

Mae Nesta'n arlunydd, a pheintiodd lun olew o Bont y Borth yn anrheg i Barbara. Bu stori'r ddwy yn y papur newydd lleol, y Sonderton Independent.

Nawr bydd y ddwy yn siarad ar y ffôn o dro i dro, yn ogystal ag ysgrifennu.
Mae Barbara hefyd yn bwriadu ymweld â Nesta yn ei chartre dros y Nadolig,
ac mae'r ddwy'n sôn am deithio i Ffrainc a'r Eidal gyda'i gilydd yn y dyfodol.

(Addasiad o erthygl yn Y Cymro)

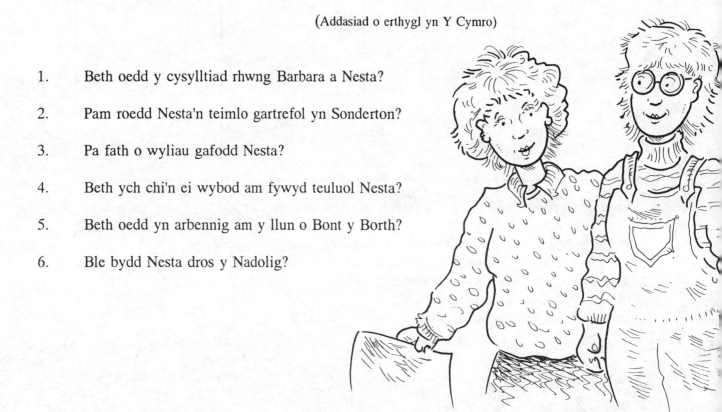

1. Beth oedd y cysylltiad rhwng Barbara a Nesta?

2. Pam roedd Nesta'n teimlo gartrefol yn Sonderton?

3. Pa fath o wyliau gafodd Nesta?

4. Beth ych chi'n ei wybod am fywyd teuluol Nesta?

5. Beth oedd yn arbennig am y llun o Bont y Borth?

6. Ble bydd Nesta dros y Nadolig?

2. **Ysgrifennu llythyr** *Ysgrifennwch un o'r llythyrau hyn (tua 100 o eiriau)*

Naill ai (either)

(a) *Ysgrifennwch ateb i'r llythyr yma oedd yn eich papur bro yr wythnos diwetha:*

Teledu'r Tir
Ffordd y Mynydd
Caernarfon
Gwynedd

Annwyl Gyfaill

Byddwn ni'n recordio cyfres (series) newydd o 'Noson Lawen' i S4C yn ystod yr haf, a dyn ni'n chwilio am dalentau newydd i gymryd rhan yn y rhaglen. Fel mae pawb yn gwybod, mae'n siwr, mae eitemau o bob math ar 'Noson Lawen' (canu, dawnsio, sgetsys, jocs, ac ati) ac mae'r rhaglen yn apelio at blant a phobl o bob oed.

Os oes diddordeb gyda chi mewn cymryd rhan yn y rhaglen, neu os dych chi'n gwybod am artistiaid addas, wnewch chi ysgrifennu aton ni mor fuan ag sy'n bosibl, gyda:

1. manylion amdanoch chi neu am yr artist (iaid) arall (eraill);

2. manylion am yr eitem fydd yn cael ei pherfformio yn y gwrandawiad
    (dim mwy na phum munud).

Diolch yn fawr.

Yn gywir

John Phillips

neu

(b) *Mae modryb eich mam wedi penderfynu rhoi £1,000 i chi ar ôl iddi glywed eich bod yn cael problemau ariannol. Ysgrifennwch lythyr ati hi i ddiolch ac i ddweud sut y byddwch yn gwario'r arian.*

CYSTADLEUAETH DOSBARTH

Gwnewch gaptiwn i'r llun isod:

e.e. "MAE DIDDORDEB GYDA FI MEWN FFISEG–CWANTWM, FFISEG–ASTRONOTEGOL A GWLEIDYDDIAETH. BETH AMDANAT TI?"

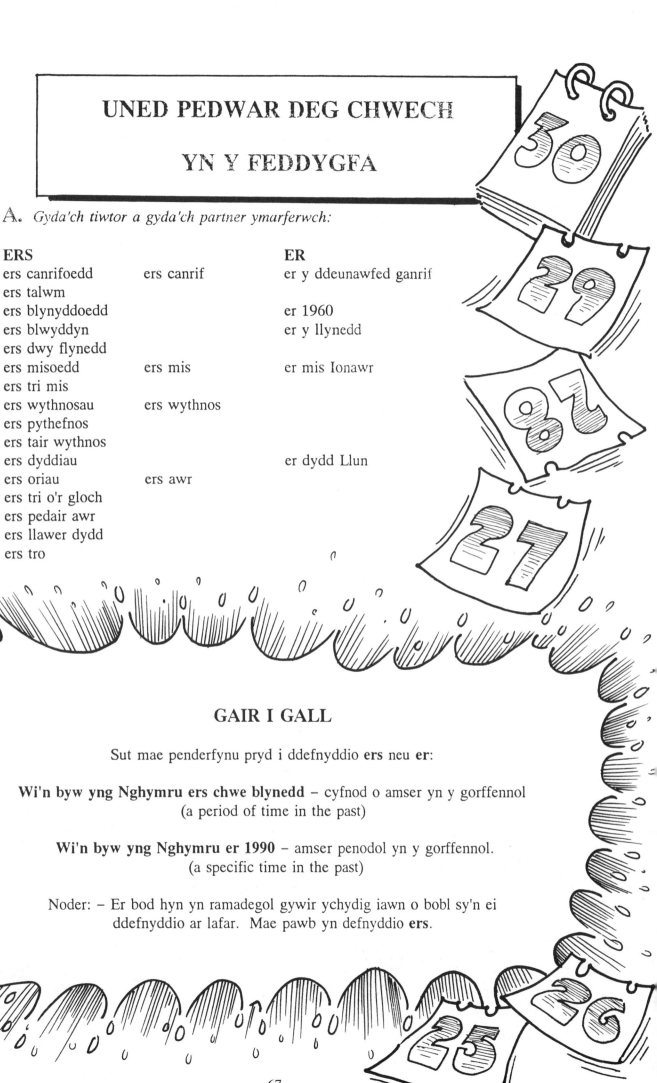

UNED PEDWAR DEG CHWECH

YN Y FEDDYGFA

A. *Gyda'ch tiwtor a gyda'ch partner ymarferwch:*

ERS		**ER**
ers canrifoedd	ers canrif	er y ddeunawfed ganrif
ers talwm		
ers blynyddoedd		er 1960
ers blwyddyn		er y llynedd
ers dwy flynedd		
ers misoedd	ers mis	er mis Ionawr
ers tri mis		
ers wythnosau	ers wythnos	
ers pythefnos		
ers tair wythnos		
ers dyddiau		er dydd Llun
ers oriau	ers awr	
ers tri o'r gloch		
ers pedair awr		
ers llawer dydd		
ers tro		

GAIR I GALL

Sut mae penderfynu pryd i ddefnyddio **ers** neu **er**:

Wi'n byw yng Nghymru ers chwe blynedd – cyfnod o amser yn y gorffennol
(a period of time in the past)

Wi'n byw yng Nghymru er 1990 – amser penodol yn y gorffennol.
(a specific time in the past)

Noder: – Er bod hyn yn ramadegol gywir ychydig iawn o bobl sy'n ei
ddefnyddio ar lafar. Mae pawb yn defnyddio **ers**.

Ymarferwch y deialogau:

1.   Ers faint ych chi'n llysieuwr/wraig?   Ers blynyddoedd.
       Ers pryd wyt ti wedi stopio smocio?   Er 1990.

2.   Ers faint ych chi'n dost?   Ers dyddiau.
       Pryd weloch chi'r 'smotiau yn gyntaf?   Ddoe.
       Ydy hyn wedi digwydd o'r blaen?   Nac ydy, erioed!

3.   Dw i ddim wedi eich gweld chi ers llawer dydd!
       Ble ych chi wedi bod?   Wi'n gweithio yn
                                        Llundain ers pum
                                        mlynedd.

4.   Ers pryd ych chi yma?   Wi wedi bod yn
                                         disgwyl gweld y
                                        meddyg ers naw o'r
                                          gloch.
       Ble mae'r meddyg?   Mae e wedi mynd
                                          ma's ar alwad ers tro.
       Ers faint maen nhw yma?   Maen nhw yma ers
                                          oriau hefyd.

5.   Sut mae'r goes?   Ddim yn dda o gwbl.
                                          Wi'n disgwyl cael
                                             mynd at yr
                                             arbenigwr ers
                                             mis Ionawr.

       Mae Wil drws nesa yn dal i ddisgwyl
       cael llawdriniaeth ers misoedd hefyd.
       Sut mae Mair?   Mae hi'n cwyno
                                          gyda'i chefn ers
                                          wythnosau.

6.   Wi wedi cael llond bola!
       Wi wedi bod yn disgwyl ers awr.   Ond Mrs Huws bach,
                                          ych chi wedi colli eich
                                          tro tair gwaith ers i chi
                                          fod yn siarad gyda Mrs
                                          Jones.

B. BYTH

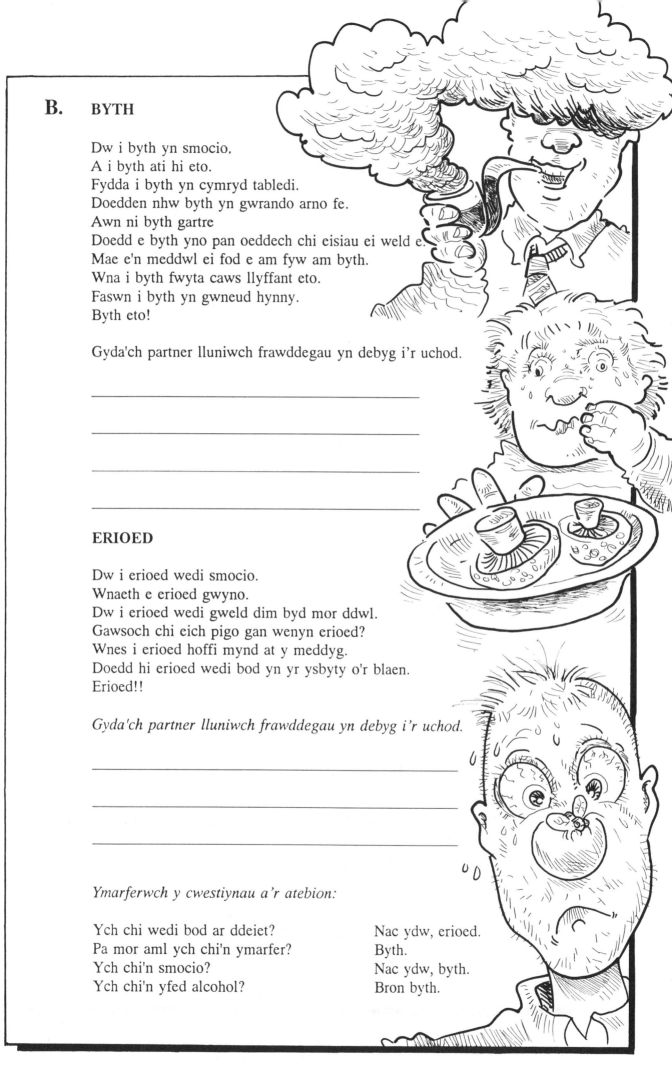

Dw i byth yn smocio.
A i byth ati hi eto.
Fydda i byth yn cymryd tabledi.
Doedden nhw byth yn gwrando arno fe.
Awn ni byth gartre
Doedd e byth yno pan oeddech chi eisiau ei weld e.
Mae e'n meddwl ei fod e am fyw am byth.
Wna i byth fwyta caws llyffant eto.
Faswn i byth yn gwneud hynny.
Byth eto!

Gyda'ch partner lluniwch frawddegau yn debyg i'r uchod.

_____

_____

_____

ERIOED

Dw i erioed wedi smocio.
Wnaeth e erioed gwyno.
Dw i erioed wedi gweld dim byd mor ddwl.
Gawsoch chi eich pigo gan wenyn erioed?
Wnes i erioed hoffi mynd at y meddyg.
Doedd hi erioed wedi bod yn yr ysbyty o'r blaen.
Erioed!!

Gyda'ch partner lluniwch frawddegau yn debyg i'r uchod.

_____

_____

_____

Ymarferwch y cwestiynau a'r atebion:

Ych chi wedi bod ar ddeiet?   Nac ydw, erioed.
Pa mor aml ych chi'n ymarfer?   Byth.
Ych chi'n smocio?   Nac ydw, byth.
Ych chi'n yfed alcohol?   Bron byth.

69

C. BOB

bob amser – always
bob munud – every minute
bob awr – every hour
bob dydd – every day
bob nos – every night
bob wythnos – every week
bob blwyddyn – every year

TRWY

trwy'r amser – all the time

trwy'r dydd – all day
trwy'r nos – all night
trwy's wythnos – all week
trwy'r flwyddyn – all the year round

Bore da. Sut ych chi heddiw?

Wel dylech chi......

Bobl annwyl, na chewch! Does dim byd yn bod arnoch chi. Ych chi'n heipocondriac. Ych chi yma bob munud yn cwyno gyda rhywbeth gwahanol bob tro.

Da iawn dio..... y ....wel nac ydw, dw i ddim yn dda o gwbl. Wi'n cael poen yn fy nghefn bob tro wi'n plygu i lawr ac mae fy nghoes i'n gwneud dolur wrth gerdded. ...wi'n cael camdreuliad bob tro wi'n bwyta a dw i ddim wedi cysgu drwy'r nos...

..... ac mae pen tost gyda fi drwy'r amser. Wi'n cymryd fitaminau bob dydd, oren ffres bob bore a bydd Dr Prys yn rhoi tabledi bach pinc i mi. Ga i ragor os gwelwch yn dda?

Felly yn wir! Wi wedi bod yn dod yma bob wythnos ers blynyddoedd ac mae Dr Prys wedi rhoi'r tabledi i mi bob tro. Mae hi bob amser yn garedig hefyd. Bore da!

CH. SGWRSIO: Chwarae rôl.

1. Ych chi newydd dorri eich braich. Eich partner ydy'r meddyg – esboniwch iddo fe/iddi hi sut digwyddodd y ddamwain.

2. Ych chi'n nyrs mewn meddygfa ac mae eich partner yn un o'r cleifion. Mae eich partner eisiau colli pwysau ar ôl bwyta gormod dros y Nadolig. Trafodwch y sefyllfa a rhowch gynghorion iddo fe/iddi hi.

3. Mae eich partner yn chwilio am gartref hen bobl ar gyfer hen ewythr. Ych chi'n warden ar gartref yn yr ardal ac yn ceisio perswadio eich partner i anfon ei ewythr i'ch cartref chi.

GWAITH CARTREF

1. (a) *Llenwch y bylchau:*

1.   Dw i _____ yn yfed alcohol.   (never)

2.   _____ mae e'n mynd i bysgota mae e'n dal annwyd.   (every time)

3.   Maen nhw wedi bod yn poeni _____.   (for days)

4.   Dw i _____ wedi meddwi.   (never)

5.   Rhaid i chi gymryd bwyd gyda'r tabledi yma _____.   (every time)

6.   Wna i _____ yfed eto!   (never)

7.   Mae Lowri wedi bod yn cwyno _____.   (for a long time)

8.   Wi wedi bod yma _____.   (for a long time)

9.   Ddwedodd e _____ air cas am neb.   (never)

10.   Mae e'n gwneud dolur _____ .   (all the time)

11.   Doedden nhw _____ yn siarad â'i gilydd   (never)

12.   Rhaid i chi gymryd y tabledi _____ .   (every four hours)

13.   Mae'r babi yn llefain _____ a _____.   (all night and all day)

14.   Awn ni _____ ar Nemesis eto!   (never)

15.   Doedd y plant _____ yn dost.   (never)

16.   Dw i _____ wedi clywed y fath lol!   (never)

17.   _____ mae hi'n chwerthin mae hi'n gwneud
        swn fel asyn.   (every time)

18.   Dw i _____ am fynd ato fe/ati hi eto.   (never)

(b) *Ych chi newydd ddod allan o'r ysbyty. Ysgrifennwch lythyr at y bobl oedd yn gofalu amdanoch chi i ddiolch iddyn nhw.*

2. Darllen a deall.

1. *Darllenwch yr hysbysebion ac atebwch y cwestiynau.*

Geirfa:

preswyl	–	residential
awyrgylch	–	atmosphere
wedi ei leoli	–	situated
ar gael	–	available

CARTREF TEULUOL 'ANGORFA' PENRHYN, CEMAES
Cartref Preswyl i'r Henoed

Awyrgylch Cartrefol a Gofalus wedi ei leoli mewn man hyfryd, golygfeydd tir a môr. Gofal proffesiynol a chariadus gan y perchennog – Mrs Gwyneth Jones.
Anfonwch ati am fanylion pellach. Mae prospectws llawn ar gael ond i chwi ffonio neu ysgrifennu at Mrs Jones.

Ffoniwch Mrs G. Jones ar 01407 710666

Pam fasech chi'n hapus i'ch ewythr fynd i'r catref henoed yma?

YMDDIRIEDOLAETH IECHYD CYMUNED GWYNEDD
GWASANAETH IECHYD MERCHED AC ATAL CENHEDLU
CYNGOR CYFRINACHOL DI–DÂL AR:-
- Atal Cenhedlu
- Cynllunio teulu
- Atal Cenhedlu brys
- Prawf gwddf y groth
- Llinell gymorth {01248 371339}

"Clinigau"
Ffordd Madyn, Amlwch {Ffôn: 01407 830760}
Y Dydd Iau Cyntaf y mis – 10.00 – Hanner Dydd
Y trydydd Dydd Llun o'r mis – 5.00 – 7.00 o'r gloch
Isgraig, Llangefni
Yr ail a'r pedwerydd Dydd Iau o'r mis – 5.00 – 6.30 o'r gloch
Priordy Dewi Sant, Allt Richmond, Caergybi
{Ffôn:01407 764231}
Bob prynhawn Gwener – 1.30 – 3.30 o'r gloch
Y Dydd Llun cyntaf o'r mis – 5.00 – 6.30 o'r gloch
Ffordd Sackville, Bangor, {Ffôn: 10248 351423}
Bob Nos Fercher – 5.00 – 7.00 o'r gloch
Bob Dydd Iau – 100.00 – Hanner Dydd
Bob Nos Iau – 6.00 – 7.30 o'r gloch

Geirfa:

ymddiriedolaeth	– trust
atal cenhedlu	– contraception
cyfrinachol	– confidential
prawf gwddf	
y groth	– cervical smear

Pryd mae clinig ar gael yn;

   (i)   Amlwch?
   (ii)   Llangefni?
   (iii)   Caergybi?
   (iv)   Bangor?

Pa rif fasech chi'n ei ffonio am gymorth?

3. *Darllenwch yr eitemau canlynol o'r papur bro ac wedyn chwiliwch am rai tebyg yn eich papur bro chi. Dewch ag esiamplau i'r dosbarth y tro nesaf.*

(i) GWELLHAD: Dymunwn yn dda iawn i Idris Evans, Llwyndrain sydd ddim wedi bod yn teimlo'n dda iawn yn ddiweddar. Mae newydd dderbyn triniaeth yn Ysbyty Bronglais a da yw deall ei fod yn gwella. Anfonwn ein dymuniadau gorau iddo am lwyr wellhad buan.

(ii) GENI: Ganwyd Teleri, merch fach i Jason a Ceinwen Goodwin, 26 Cwm Aur ar ddechrau mis Medi: Llongyfarchiadau iddynt.

(iii) LLONGYFARCHIADAU: Llongyfarchiadau i Colin Evans, Pencwarel ar basio ei arholiadau trwsio ceir gyda llwyddiant mawr. Mae Colin yn beirianydd yng Ngarej Lynwood, Capel Seion.

Geirfa:

triniaeth	–	treatment
llwyr wellhad buan	–	an early and complete recovery
da yw deall	–	it's good to know / we're pleased to know

73

UNED PEDWAR DEG SAITH

TREFNU

A. **AM FYND** **BETH AM?**

Gyda'ch tiwtor a gyda'ch partner ymarferwch:

Ble ych chi am fynd ar ôl y dosbarth?
Wi am fynd gartre.
i'r banc.
i'r feddygfa.
at y deintydd.
i'r dafarn.

Beth ych chi am wneud yno?
Wi am wrando ar y tâp.
godi arian.
wneud apwyntiad.
gael tynnu dant.
yfed peint neu ddau.

Beth am fynd i'r dafarn gyda'n gilydd?
siarad Cymraeg yn y dafarn?
ddechrau grwp siarad yn Y Goron?
ofyn i Angharad ddod hefyd?

Iawn. Fe awn ni.
Fe wnawn ni

Penderfyniadau'r dysgwr perffaith:

Wi am ...
fwynhau'r gwersi Cymraeg.
wneud y gwaith cartref bob tro.
siarad Cymraeg gyda'r bobl drws nesa.
wrando ar Radio Cymru weithiau.
edrych ar S4C bob dydd.
fynd i'r Sadwrn Siarad nesa.

Dw i ddim am ...
fod yn absennol.
siarad Saesneg yn y dosbarth byth eto.
fod yn swil.
boeni gormod am dreigladau.
ofyn cwestiynau cas i'r tiwtor

B.

MYND Â **DOD Â** **YMUNO Â**

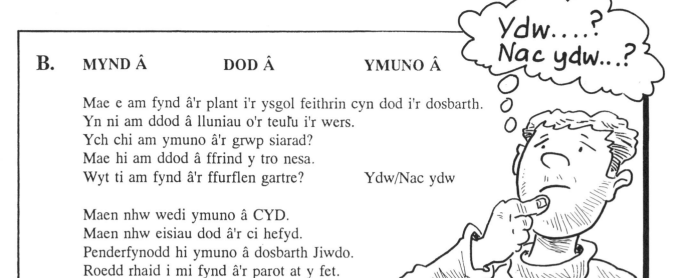

Mae e am fynd â'r plant i'r ysgol feithrin cyn dod i'r dosbarth.
Yn ni am ddod â lluniau o'r teulu i'r wers.
Ych chi am ymuno â'r grwp siarad?
Mae hi am ddod â ffrind y tro nesa.
Wyt ti am fynd â'r ffurflen gartre? Ydw/Nac ydw

Maen nhw wedi ymuno â CYD.
Maen nhw eisiau dod â'r ci hefyd.
Penderfynodd hi ymuno â dosbarth Jiwdo.
Roedd rhaid i mi fynd â'r parot at y fet.

C.

WELL I NI	(basai'n well i ni)	–	We'd better
RHAID I NI	(mae rhaid i ni)	–	We must
MAE EISIAU I NI	(hefyd – mae angen i ni)	–	We need to

Trefnu Ffair Haf – *ych chi ar y pwyllgor. Ymarferwch y canlynol ac wedyn gweithiwch mewn grwpiau i drefnu eich ffair haf chi.*

Well i ni ...   bennu (*decide upon*) diwrnod yn gyntaf.
Rhaid i ni ...   hysbysebu.
Mae eisiau i ni ...   lunio   poster.
                wneud   posteri.
                feddwl am   stondinau.
                        gêmau.
                gael   ras wy ar lwy.
                gael   cystadleuaeth gwisg ffansi.
                ofyn   am lawer o bethau.
                        am gyfraniadau.

Fasai'n well i ni ...   gael trwydded i redeg y raffl?
Oes rhaid i ni ...   dalu am y cae?
Oes eisiau i ni ...   gael caniatâd y cyngor?

Well i ni beidio â ...   gwneud llanast.
        ag ...   anghofio'r fflôt
Does dim rhaid i ni ... boeni am y peth.
Does dim eisiau i ni ...banicio!

CH.   Cynnig helpu:

Rhoia i boster yn ffenest y siop
Anfoniff Jo hysbyseb i'r papur bro

Trefniff Pat y gêmau.
Gwerthiff pawb docynnau.
Gofynnwn ni am gyfraniadau.
Cymeran nhw'r arian.

Pwy wnaiff y posteri?
Wnei di lunio poster?   Gwnaf (wna i), a chroeso.
Wnaiff Carol ei lungopio fe?   Gwnaiff, wi'n siwr.
Wnaiff y plant eu lliwio nhw wedyn?   Gwnân, mae'n debyg.
Wnaiff pawb sy yma eu dosbarthu
(*distribute*) nhw?   Gwnawn, wrth gwrs.

Pwy aiff i brynu'r bwyd?
Af fi

Ewch i Freshfoods – mae coffi yn rhatach yno.
Cer i'r farchnad, mae'n lle da am fargen.
Peidiwch â mynd i Siop y Gornel, mae hi'n rhy ddrud.
Paid â phrynu gormod o gaws.
Cewch chi wyau yn rhatach yn y farchnad.

D. *Ych chi eisiau trefnu stondin lluniaeth* (refreshments). *Byddwch chi eisiau gwerthu'r bwyd mor rhad ag sy'n bosib a gwneud elw* (profit) *yr un pryd. Penderfynwch ble yw'r lle gorau i siopa am fwyd.*

	FRESH FOODS	Siop Y Gornel	Y Farchnad
Paced o 100 o fagiau te	£2.00	£2.35	£1.80
1 Kg o siwgr	85c	75c	74c
200g o goffi	£3.25	£3.75	£3.25
250g o fenyn	75c	65c	55c
torth	65c	75c	35c
tun 185g o diwna	45c	35c	45c
jar o Mayonaise (Mae o'n neis!)	£1.15	£1.20	75c
paced o fisgedi	35c	25c	25c
potelaid o ddiod oren	98c	£1.18	85c
dwsin o wyau	96c	£1.00	92c
peint o laeth	37c	37c	37c
pwys o gaws Caer	£4.69	£3.90	£3.85

DD. Sgwrsio.

Ych chi'n aelod o bwyllgor yr ysgol feithrin leol ac mae rhaid i chi godi arian yn fuan. Ych chi wedi penderfynu cynnal (hold) ffair. Bydd eich tiwtor yn rhannu'r dosbarth mewn grwpiau o dri neu bedwar ac yn rhoi gweithgaredd i bob grwp i'w drefnu. Ar ôl i chi benderfynu pwy sy am wneud beth, dewch at eich gilydd fel dosbarth i wneud yn siwr bod y canlynol wedi eu trefnu:

pennu diwrnod   trefnu stondinau   casglu gwobrau
gwneud posteri   trefnu raffl   cael pobl i helpu
hysbysu'r wasg   trefnu gêmau   gwerthu tocynnau
                       trefnu lluniaeth

GWAITH CARTREF

1. *Trowch y berfau yma i'r dyfodol gan ddilyn y patrwm:*

yfed	(fi)	yfa i	yfa i ddim
cerdded	(ti)		
clywed	(fe)		
gweld	(y plant)		
galw	(ni)		
cadw	(chi)		
dweud	(nhw)		
cyrraedd	(fi)		
aros	(ti)		
gadael	(fe)		
gwrando	(hi)		
cymryd	(y bobl)		
sefyll	(ni)		
dechrau	(chi)		
mwynhau	(fi)		

2. *Atebwch y cwestiwnau:*

1. Pwy drefniff y tombola?

   _____

2. Pwy aiff i brynu bara?

   _____

3. Pwy wnaiff baratoi te a choffi?

79

4. Fwytan nhw'r bwyd i gyd?

5. Pwy ddaw â fflot?

6. Pwy wnaiff y diolchiadau?

7. Beth wnewch chi â'r sbwriel?

8. Wnewch chi feddwl am syniad arall?

9. Faint o amser gymeriff hi i ni baratoi?

10. Am faint o'r gloch dechreuwn ni?

11. Pryd ei di i'r neuadd?

3. Darllen a Deall

CYD RHYDAMAN A'R CYLCH

TREF RHYDAMAN

Mae Rhydaman yn dref fach o 5,000 o bobl. Mae'n sefyll rhwng ardaloedd diwydiannol a'r cefn gwlad. Gyda 70% o'r bobl yn y dref yn siarad Cymraeg, mae'n hawdd clywed Cymraeg ar y stryd, yn y siopau ac yn y dafarn.

Mae CYD Rhydaman yn cwrdd mewn un o'r tafarnau lleol - sef y *Great Western*.

GWEITHGAREDDAU CYD

Bob mis mae grŵp bach ohonon ni'n trefnu gweithgareddau i apelio at ddant pawb. Yn ystod 1994 bydd Helfa Drysor, Sioe Sleidiau am Ganada, Cwestiynau Garddio a Bowlio Deg. Bydd nifer o weithgareddau ar y cyd rhwng canghennau o CYD mewn trefi agos fel Castell Nedd, Pontardawe ac Abertawe. Mae'r cysylltiad rhwng y canghennau yn yr ardal yn bwysig er mwyn helpu pawb i gymysgu gyda'i gilydd.

PETHAU DIDDOROL YN YR ARDAL

Mae llawer o bethau diddorol i CYD neu unigolion wneud yn yr ardal . Mae Castell Carreg Cennen yn agos i'r dref. Roedd y castell yn gartref i'r hen dywysogion Cymreig, ond erbyn hyn mae'r castell dan ofal CADW a theulu Cymraeg lleol. Mae'r Castell yn sefyll ar gopa bryn ac mae'n bosib gweld am filltiroedd ym mhob

cyfeiriad (os ydy'r tywydd yn sych!). I'r dwyrain mae'r Mynydd Du i'w weld; i'r gogledd, bryniau y canolbarth; i'r gorllewin, Castell Dinefwr, ac i'r de mae Lloegr ar y gorwel.

Y DIWYDIANT CALCH A GLO

Mae'n amhosibl teithio o gwmpas yr ardal heb ddod o hyd i olion y diwydiant calch a glo. Ceisodd CYD Rhydaman drefnu ymweliad i'r pwll glo olaf yn y cwm ond yn anffodus fe gafodd Glofa'r Betws ei chau y llynedd. Dim ond pyllau glo preifat sydd ar ôl nawr, ond os ydy'r diwydiant glo wedi mynd, mae'r diwydiant calch yn gryf. Am ganrifoedd, roedd ffermwyr yn llosgi calch i helpu gwair dyfu yn y caeau, ond nawr mae'r calch yn cael ei ddefnyddio i adeiladu ffyrdd. Mae'n fusnes mawr, yn cyflogi llawer o bobl ac yn waith sy'n cadw pobl lleol yn eu hardal leol. Dyma'r ffordd orau o gadw ein hiaith ni'n gryf.

Mae gan CYD Rhydaman le pwysig yma hefyd. Dyn ni'n dangos i siaradwyr rhugl ac i ddysgwyr bod yr iaith yn bwysig i bawb.

---

diwydiannol – *industrial*
gweithgareddau – *activities*
at ddant pawb – *to everybody's taste*
helfa drysor – *treasure hunt*
bowlio deg – *tenpin bowling*
ar y gorwel – *on the horizon*
unigolion – *individuals*
tywysog,-ion – *prince,-s*
olion – *traces*
glofa – *colliery*
calch – *limestone*
cyflogi – *to employ*

CYD RHYDAMAN A'R CYLCH –
Atebwch y cwestiynau ar ddarn o bapur:

1. Ble mae CYD Rhydaman yn cyfarfod (cwrdd)?

2. Pa mor aml maen nhw'n cyfarfod?

3. Pa fath o weithgareddau maen nhw'n eu trefnu?

4. Pwy oedd yn byw yng Nghastell Carreg Cennen ers talwm?

5. Beth ych chi'n ei weld o gopa'r bryn?

6. Pam wnaeth CYD Rhydaman ddim ymweld â'r pwll glo?

7. I beth mae'n nhw defnyddio calch heddiw?

8. Yn ôl yr erthygl beth yw'r ffordd orau o gadw ein hiaith ni'n gryf?

9. Ble bydd Hwyl Haf CYD yn cael ei gynnal?

10. Ble mae prif swyddfa CYD?

4. *Ysgrifennwch baragraff neu ddau ar eich profiadau o ddysgu Cymraeg.*

Dyma un stori ddoniol gafodd ei chyhoeddi (*publish*) yn Prentis:

Ar ôl i fi ymddeol, fe ddechreuais i ddysgu Cymraeg. Dyw pobl byth yn rhy hen i ddysgu, medden nhw (*so they say*).

Yn gyntaf, roedd rhaid i fi ddysgu brawddegau fel: "Dw i ddim yn deall" a "Beth yw ystyr hynny?" Roedd pobl yn fy helpu i bob amser.

Ar ôl ugain gwers ron i'n gallu dweud "Dych chi'n siarad yn rhy gyflym. Wnewch chi siarad yn araf, os gwelwch chi'n dda". A'r peth rhyfedd oedd hyn – drosodd a throsodd roedd pobl yn amyneddgar (*patient*).

Un diwrnod ron i'n casglu arian tuag at Gymorth Cristnogol ac roedd rhaid i mi fynd i dy Mr Griffiths. Roedd e'n dod o Rydaman yn wreiddiol ac roedd e'n siarad Cymraeg yn dda iawn. "Bore da, Mr Griffiths" meddwn i (*I said*). "Dw i'n siarad Cymraeg achos dw i wedi dechrau dysgu Cymraeg mewn dosbarth nos."

"Wel," meddai fe (*he said*), "iaith y nefoedd yw Cymraeg, medden nhw. Pa mor hen ych chi?"
"Pensiynwr ydw i" atebais i.
"Wel bachan, (*lad, mate, my good man*) meddai fe gyda gwên. "Rhaid i chi ddysgu'n gyflym iawn!"
Ych chi wedi cael profiadau tebyg?

82

UNED PEDWAR DEG WYTH

SIARAD AR Y FFÔN.

A. YN Y GWAITH

Gyda'ch tiwtor ymarferwch –

Agoriad Sgwrs
Bore da. Gwasanaeth Cwsmeriaid.
Cwmni Offer Caerdydd.
Ga i'ch helpu chi?

Bore da.
Ga i siarad â'r Cyfarwyddwr os
gwelwch chi'n dda?
Ga i estyniad 041 os gwelwch chi'n dda?
Ga i siarad â rhywun sy'n delio â..........
Allwch chi ddweud wrtha i........
Hoffwn i siarad ag Aled Huws ynglyn â........

Ymatebion
A chroeso
Daliwch y lein os gwelwch chi'n dda.
Rhoia i chi drwodd nawr.
Trosglwydda i chi .....
Wnewch chi ddal y lein am funud?
Wna i mo'ch cadw chi'n hir.
Dyw e/hi ddim ar gael ar y funud, mae'n flin iawn gyda fi. Triwch eto yn
nes ymlaen.
Hoffech chi drio eto mewn munud?
Dyw e/hi ddim i mewn heddiw. Ffoniwch eto 'fory.
Hoffech chi adael neges?

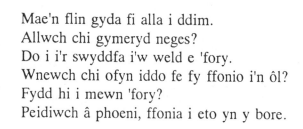

Mae'n flin gyda fi alla i ddim.
Allwch chi gymeryd neges?
Do i i'r swyddfa i'w weld e 'fory.
Wnewch chi ofyn iddo fe fy ffonio i'n ôl?
Fydd hi i mewn 'fory?
Peidiwch â phoeni, ffonia i eto yn y bore.

Problemau ar y lein
Mae'n flin iawn gyda fi alla i mo'ch clywed chi'n dda iawn.
Siaradwch yn uwch os gwelwch chi'n dda.
Mae gormod o swn yn yr ystafell. Arhoswch funud, a i i ystafell arall.
Mae'r lein yma'n ddrwg. Triwn ni lein arall.

Mewn ciosg
Does dim arian ar ôl gyda fi

Siaradwch yn gyflym 'te.
Rhowch y set llaw i lawr a ffonia i chi.

Mae rhywun arall yn siarad
ar y lein

Peidiwch â dweud cyfrinachau 'te.
Well i chi beidio â dweud eich busnes 'te.
Basai'n well i chi roi'r ffôn i lawr 'te.

Deialu rhif anghywir
Mae'n flin gyda fi

Mae'n flin gyda fi (eto)

– ac eto

– ac eto

– ac eto

– ac eto

Popeth yn iawn

O, ie?

Byddwch yn fwy gofalus y tro nesaf!

Gwrandewch! Edrychwch yn y llyfr
ffôn a sieciwch y rhif cyn deialu eto.

Fydda i ddim yn glen iawn y tro nesa!

'Drychwch' !!%$$@! ! !!$$%@!
(ewch i ganu! – *get lost*)

Gyda'ch partner ymarferwch y sgyrsiau isod, wedyn lluniwch sgwrs eich hun.

Deialog 1
Bore da, Cyngor Abertawe.   Bore da. Ga i siarad â rhywun sy'n delio
                              â threth y Cyngor, os gwelwch chi'n dda?
Cewch siwr. Wnewch chi ddal y
lein am funud?   Iawn.

Mae'r person ych chi eisiau wedi mynd
am ei chinio. Liciech chi drio
eto mewn hanner awr?   Wel, na. Wnewch chi ofyn iddi hi fy
                              ffonio i'n ôl?

Deialog 2
Bore da. Ysgol Cae Glas. Ga' i'ch
helpu chi?

                              Ga i estyniad 041 os gwelwch chi'n dda?

Mae'r lein yn brysur ar y funud.
Wnewch chi ddal y lein?   Gwnaf/ wna i.

Mae'r lein yn dal yn brysur. Fasech
chi'n hoffi gadael neges?

                              Na. Mae'n well gyda fi beidio. Peidiwch â
                              phoeni, ffonia i eto yn y bore

B. CHWARAE RÔL.

Defnyddiwch y slip neges ffôn canlynol wrth wneud y gweithgareddau isod –

I SYLW:_____   **ODDIWRTH:**_____

O: _____   **Dyddiad**_____

Amser_____am/pm

Cymerwyd gan_____

RHIF FFÔN_____   _____ _____   **FFACS** _____   _____
(rhif)   (côd)   (rhif)   (estyniad)   (côd)

NEGES_____

_____

FfonioddO   Galwch yn ôl O   Yn ateb eich galwad O   am alw eto O   AR FRYS O

(a) **Partner A**
Ych chi'n gweithio ar gyfnewidfa ffôn (*switchboard*) siop grand o'r enw SWANC yng Nghaerdydd. Mae eich partner yn gofyn am yr Adran Gwynion. Mae'r lein yn brysur iawn ar y pryd. Llenwch y slip neges ffôn uchod (*above*) gyda'r wybodaeth berthnasol (*appropriate*).

Partner B
Ych chi'n gwsmer i SWANC, siop ddillad grand yng Nghaerdydd. Ych chi wedi prynu siwt ddrud ac yn barod mae gwniad (*seam*) wedi agor. Ych chi'n grac iawn. Ych chi wedi trio ffonio'r Adran Gwynion dair gwaith yn barod ond mae'r lein yn brysur. Ffoniwch unwaith eto gan adael neges yn y gyfnewidfa y tro yma. Cofiwch adael eich rhif ffôn.

(b) **Partner A**
Ych chi'n Rheolwr/wraig busnes ac yn meddwl eich bod yn talu gormod o dreth fusnes. Ych chi'n ffonio Adran Gyllid (Finance Department) y Cyngor. Does dim awdurdod (authority) gyda'r person sy'n ateb y ffôn i wneud penderfyniadau a dyw'r bos ddim i mewn. Penderfynwch beth i wneud nesa. Cofiwch adael eich rhif ffôn a'ch rhif ffacs.

Partner B
Ych chi'n gweithio yn swyddfa Adran Gyllid y Cyngor. Mae eich partner yn Rheolwr/wraig busnes leol ac yn meddwl ei fod/ei bod yn talu gormod o dreth fusnes. Does dim awdurdod gyda chi i wneud penderfyniadau a dyw'r bos ddim i mewn. Cymerwch neges.

C. ADRE

Bore da. Carol sy 'ma.

Sut wyt ti Carol?

Da iawn diolch, a ti?
Sut mae pethau?

Dw i erioed wedi bod yn well.
Ddoi di draw am baned? Wi'n moyn cael
sgwrs â ti.

Wel, bydd rhaid i mi orffen
cymenu'r gegin – alla i ddim
dod tan ddeg o'r gloch.
Oes problem gyda ti?

Jiw jiw! Wyt ti'n siwr?

Problem? Nac oes wir! Wi wedi ennill
£250,000 yng nghystadleuaeth y
Deager's Ridest!! – ac wi'n moyn i ti fy
helpu i'w wario.

– ble awn ni am wyliau?
– beth brynwn ni?
– beth wnawn ni?

Wrth gwrs, faswn i ddim yn gofyn i neb
arall.

Nage, dwyt ti ddim wedi deall. Wyt
ti'n siwr dy fod ti wedi ennill yr arian?
Cer i nôl y llythyr.

Darllena i e i ti. Gwranda.
'LLONGYFARCHIADAU!
YCH CHI WEDI ENNILL CYFLE
I ENNILL EIN GWOBR
GYNTAF O £250,000. Mae eich
rhif chi: 105321000000 yn mynd
ymlaen i rownd tri o'r
gystadleuaeth, byddwch chi'n un
o'r 15,000 o bobl lwcus yn eich
ardal chi all ennill y wobr gyntaf.
LLONGYFARCHIADAU ETO!'
O! Dw i ddim wedi ennill dim
byd, nac ydw?

Mae'n flin iawn gyda fi. Edrych,
gadawa i'r gwaith ty a do i draw
am y ddisgled 'na nawr. Rho'r tegell
ymlaen.

(Wedi siomi) Iawn. Edrycha i ymlaen at
dy weld di. Dere'n gloi! Cawn
ni deisen siocled hefyd. Hwyl!

Hwyl tan toc!

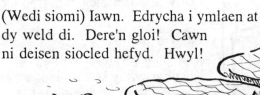

GWAITH CARTREF

1.   Darllen a deall. *Gormod o bwdin dagith gi, felly, mae'r darn canlynol mewn dwy ran:*

(a)

DELIO Â GALWADAU MALEISUS.

Os ydych chi'n cael galwadau maleisus, rydyn ni yn BT am helpu. P'un ai yw'r galwadau'n anllad, yn fygythiol neu'n ddim ond niwsans, rydyn ni wedi ymrwymo i weithio gyda chi i ddelio â'r broblem.

BETH I'W WNEUD OS YDYCH CHI'N CAEL GALWADAU MALEISUS.
1.   Peidiwch â gwylltio. Ceisiwch beidio ag annog y galwr drwy ymateb yn emosiynol, a chofiwch mai'ch teleffon chi yw hi ac mai chi sy'n rheoli'r sefyllfa.

2.   Peidiwch â chymryd rhan mewn sgwrs. Rhowch y set llaw i lawr wrth ochr y teleffon a'i hanwybyddu am ychydig funudau cyn ei rhoi'n ôl yn araf.

3.   Os bydd y galwr yn galw sawl tro, peidiwch â dweud dim byd wrth godi'r set llaw; bydd galwr go iawn yn siarad gyntaf.

4.   Os nad yw'r galwr yn dweud dim, peidiwch â cheisio'i gael i siarad; rhowch y set llaw yn ôl yn araf os na fydd neb yn siarad.

5.   Peidiwch byth â rhoi unrhyw fanylion amdanoch chi'ch hun na'ch teulu oni fyddwch yn hollol siwr pwy sy'n galw a chithau'n ymddiried ynddo.

Geirfa:

P'un ai – whether
anllad – obsence
bygythiol – threatening
wedi ymrwymo – committed
gwylltio – loose (your) temper
ceisiwch beidio â – try not to

annog – encourage
anwybyddu – ignore
sawl tro – many times
go iawn – genuine
oni fyddwch chi – unless you are
ymddiried – trust

1.   Beth yw'r pum peth ddylech chi ddim eu gwneud pan ych chi'n cael galwadau maleisus?

Peidio â _____

Peidio ag _____

Peidio â _____

Peidio â _____

Peidio â _____

2.   Beth ddylech chi ei wneud?

_____

_____

_____

(b)

SUT GALL BT HELPU

1.   Ffoniwch ein llinell gyngor yn rhad ac am ddim ar 0800 663 388 (yn
       Gymraeg) neu 0800 666 700 (yn Saesneg). Cewch wybodaeth sut i ddelio â
       galwadau annymunol a beth all BT ei gynnig i helpu delio â'r broblem.
       Gallwch ffonio'n rhad ac am ddim unrhyw adeg o'r dydd neu'r nos.

2.   Darllenwch ein taflen ar Alwadau Maleisus. Mae taflen ar gael yn rhad ac
       am ddim sy'n rhoi cyngor sut i ddelio â galwadau annymunol. Mae ar gael
       mewn siopau BT neu drwy ddeialu 150 a gofyn am gopi. Gall y daflen fod
       ar gael hefyd yn eich swyddfa heddlu leol, llyfrgell neu Ganolfan Cynghori.

3.   Ffoniwch 150 (yn rhad ac am ddim). Caiff eich galwad ei hateb gan ein
       Cynghorwyr Gwasanaethau Cwsmeiriad, a fydd yn cynnig cyngor syml i chi
       am y camau mwyaf addas i chi, yn ôl eich anawsterau arbennig chi.

4.   Ffoniwch ein Swyddfa Arbenigol yn rhad ac am ddim ar 0800 661 441. Yma
       caiff eich galwad ei hateb gan ymchwilwyr wedi eu hyfforddi'n arbennig a
       fydd yn gweithio gyda chi, a thrwy ddefnyddio eu gwybodaeth a'u harbenigedd
       byddant yn delio â'r broblem. Mewn achosion eithriadol, fe allan nhw hefyd
       weithio gyda'r Heddlu i olrhain galwadau, oherwydd mae gwneud galwadau
       maleisus yn drosedd criminal a gall galwyr gael eu herlyn. Cofiwch, os ydych
       chi'n cael galwadau ffôn annymunol, mae BT yma i helpu.

                                                        (o Y llyfr ffôn 1995)

Geirfa:
annymunol – unpleasant   ymchwilwyr – investigators
ar gael – available   arbenigedd – special knowledge
yn cynnig – offering   eithriadol – exceptional
camau – steps/action   olrhain – trace
addas – suitable   trosedd – offence
anawsterau – difficulties   erlyn – prosecute

1.   Pryd mae'n bosib ffonio'r llinell gyngor?

_____

2.   Ble gallwch chi gael copi o daflen BT ar alwadau maleisus?

_____

3. Ydy hi'n bosib i chi siarad â rhywun am y peth?

    _____

4. Beth mae'r Heddlu yn gallu ei wneud?

    _____

2. Ysgrifennu.

1. *Llenwch y bylchau gyda ffurfiau priodol* (appropriate forms) *y geiriau mewn cromfachau* (brackets)

A. Helo, Jo?_____ (bod) di yno heno?

B. Bydda, wrth gwrs, ond mae'n bosib _____ (cyrraedd) i

    braidd yn hwyr. _____ (bod) rhaid i mi fynd â'r car i'r garej y

    bore 'ma._____ (ffonio) i'r garej tua _____(pump)

    munud yn ôl i weld sut _____ (bod) nhw'n dod ymlaen, ond

    _____ (bod)'r car ddim yn mynd i fod yn barod am rai

    _____ (awr) eto. _____ (dweud) y mecanic ei

    _____ (bod) e wedi dod ar draws rhyw broblem gyda'r tanc petrol.

    Gobeithio _____ (bod) y car yn barod mewn _____

    (tro/pryd/ amser?)

A. Paid â phoeni. _____ (ffonio) fi os _____ (bod)

    unrhyw broblem. _____ (cael) di lifft gyda fi. A dweud y

    gwir, _____ (bod) well i ti ddod gyda ni beth bynnag.

    _____ (bod) ni'n pasio brwy Aberheli. _____ (gallu) di

    fod wrth swyddfa'r post erbyn _____(5.15?)

B. _____(bod) i yno. Diolch yn fawr.

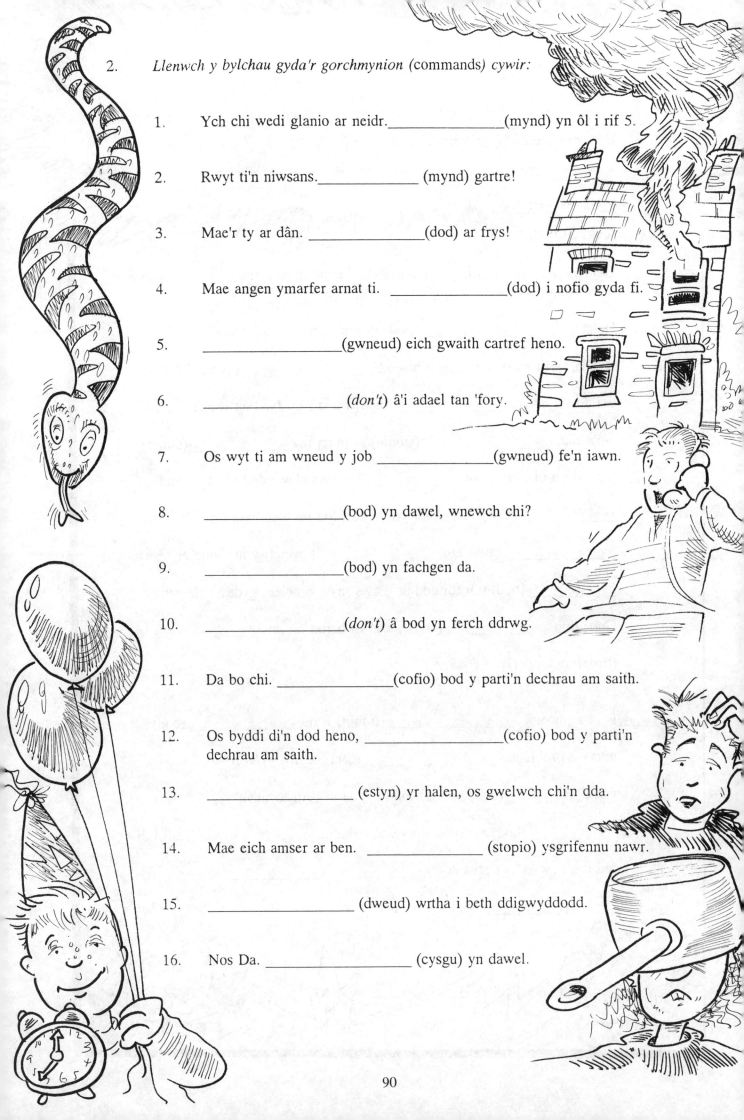

2. *Llenwch y bylchau gyda'r gorchmynion* (commands) *cywir:*

1. Ych chi wedi glanio ar neidr._____(mynd) yn ôl i rif 5.

2. Rwyt ti'n niwsans._____ (mynd) gartre!

3. Mae'r ty ar dân. _____(dod) ar frys!

4. Mae angen ymarfer arnat ti. _____(dod) i nofio gyda fi.

5. _____(gwneud) eich gwaith cartref heno.

6. _____ (*don't*) â'i adael tan 'fory.

7. Os wyt ti am wneud y job _____(gwneud) fe'n iawn.

8. _____(bod) yn dawel, wnewch chi?

9. _____(bod) yn fachgen da.

10. _____(*don't*) â bod yn ferch ddrwg.

11. Da bo chi. _____(cofio) bod y parti'n dechrau am saith.

12. Os byddi di'n dod heno, _____(cofio) bod y parti'n dechrau am saith.

13. _____ (estyn) yr halen, os gwelwch chi'n dda.

14. Mae eich amser ar ben. _____ (stopio) ysgrifennu nawr.

15. _____ (dweud) wrtha i beth ddigwyddodd.

16. Nos Da. _____ (cysgu) yn dawel.

1. *Ych chi'n gwneud ymchwil farchnata ar gyfer cwmni sy'n cynhyrchu (produce) offer dillad a chwaraeon o bob math. Maen nhw eisiau cymharu (compare) arferion hamddena pobl heddiw a ddoe. Holwch aelodau eraill o'r dosbarth. Mae rhaid i bawb ddefnyddio brawddegau llawn wrth ateb y cwestiynau.*

Enw:_____

Cyfeiriad:_____

Côd post:_____   Rhif ffôn:_____

Dyddiad geni:_____   Man geni:_____

Pan roch chi'n blentyn –   **Plentyn ych chi'n 'nabod heddiw –**

1. Pa fath o chwaraeon och chi'n eu mwynhau?

    Pa chwaraeon mae'r plentyn yn eu mwynhau?

2. Pa offer chwaraeon oedd gyda chi?

    Pa fath o offer chwaraeon sy gyda fe/hi?

3. Och chi'n mynd i rywle arbennig i chwarae?

    Ble mae e/hi'n chwarae?

4. Pa fath o ddillad och chi'n eu gwisgo i chwarae?

    Pa fath o ddillad mae e/hi'n eu gwisgo i chwarae?

5. Aethoch chi i sglefrio neu sgelfrio ar iâ?

    Pa fath o sglefrio mae plant yn wneud heddiw?

6. Faint o arian poced och chi'n gael pan och chi'n 12 oed?

    Faint o arian poced mae e/hi'n gael?

7. Och chi'n chwarae gemau fel teulu?

    Ydy teulu'r plentyn yn chwarae gemau gyda'i gilydd?

2. *Chwaraewch y gêm grid gyda'ch partner. Cofiwch ateb gyda mwy nag un frawddeg os yn bosib.*

1 DWEDWCH Rhywbeth am y teulu	**2 ATEBWCH** Ych chi wedi bod i fyny'r Wyddfa?	**3 ATEBWCH** Ble aethoch chi i'r ysgol?
12 DISGRIFIWCH Y bobl sy'n gweithio gyda chi.	**11 ATEBWCH** Ych chi'n darllen papur newydd bob dydd?	**10 DWEDWCH** Beth fasai'r swydd berffaith i chi.
13 DWEDWCH Pwy sy'n gwneud y gwaith ty yn eich ty chi.	**14 DISGRIFIWCH** Aelod o'ch teulu.	**15 YN ÔL 5**
24 DWEDWCH Beth fyddwch chi'n wneud i gadw'n iach ac yn heini.	**23 DISGRIFIWCH** Eich ty chi.	**22 GOFYNNWCH** Am ganiatâd i wneud rhywbeth.
25 YN ÔL 4	**26 ATEBWCH** Pwy yw'ch hoff berfformiwr chi?	**27 GOFYNNWCH** I rywun ddod â rhywbeth i chi.
36 DISGRIFIWCH Ble roch chi'n byw pan och chi'n blentyn.	**35 ATEBWCH** Beth fasech chi'n wneud tasai'r tŷ ar dân?	**34 DWEDWCH** Ble cafodd eich rhieni eu geni a'u magu.
37 YN ÔL 4	**38 ATEBWCH** Beth fasech chi'n wneud gyda £250,000?	**39 GOFYNNWCH** Os cewch chi fynd gartre'n gynnar.

4 DISGRIFIWCH Chi eich hun.	**5 DWEDWCH** Rhywbeth am eich gwaith.	**6 ATEBWCH** Ych chi'n canu unrhyw offeryn cerdd?
9 YN ÔL 3	**8 GOFYNNWCH** I rywun am gael benthyg rhywbeth.	**7 DWEDWCH** Beth ych chi'n wneud ar ddiwrnod cyffredin?
16 DWEDWCH Pa gân ych chi'n ei chanu yn y bath.	**17 GOFYNNWCH** Am iechyd rhywun.	**18 ATEBWCH** Pa mor aml ych chi'n defnyddio bws neu drên?
21 ATEBWCH Pryd oedd y tro cyntaf i chi fynd i Lundain?	**20 YN ÔL 4**	**19 DWEDWCH** Wrth rywun am beidio â gwneud rhywbeth.
28 DWEDWCH Faint o'r gloch yw hi.	**29 ATEBWCH** Oes dannedd dodi gyda chi?	**30 DWEDWCH** Sut mae berwi wy.
33 GOFYNNWCH I rywun eich priodi chi.	**32 YN ÔL 6**	**31 GOFYNNWCH** I rywun wneud rhywbeth pwysig i chi.
40 DISGRIFIWCH Yr ardal ble ych chi'n byw.	**41 YN ÔL I'R DECHRAU**	**42 DWEDWCH** Beth ych chi'n feddwl o'r tiwtor.

93

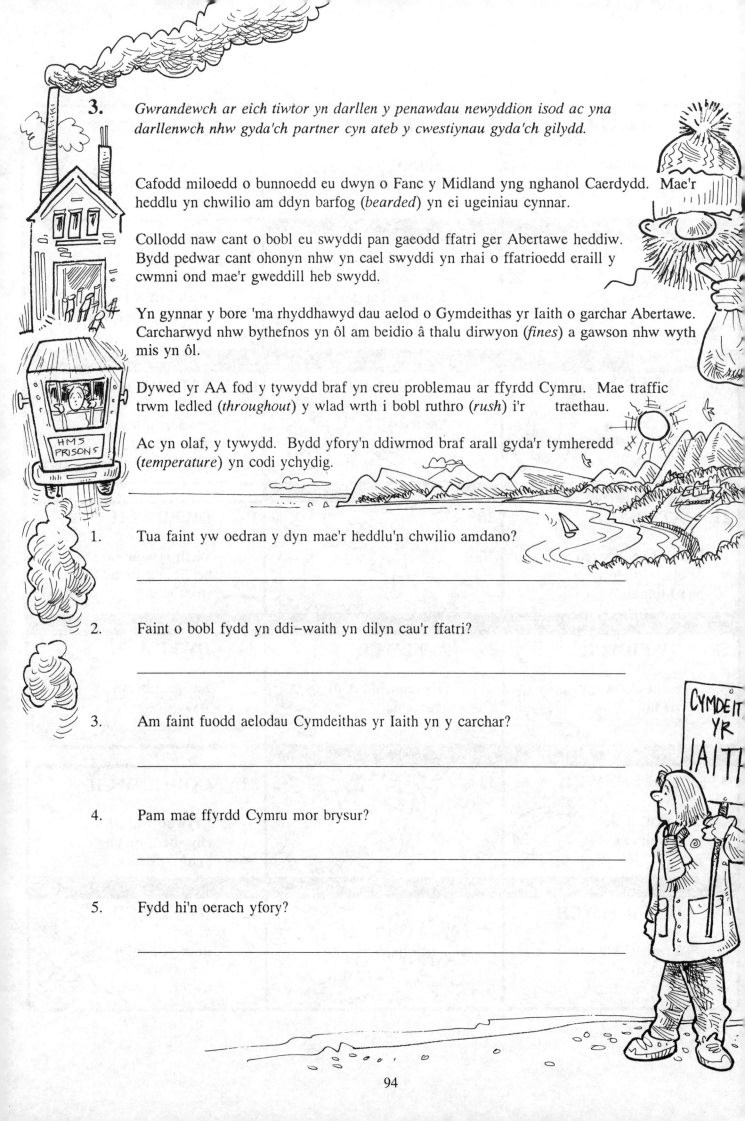

3. *Gwrandewch ar eich tiwtor yn darllen y penawdau newyddion isod ac yna darllenwch nhw gyda'ch partner cyn ateb y cwestiynau gyda'ch gilydd.*

Cafodd miloedd o bunnoedd eu dwyn o Fanc y Midland yng nghanol Caerdydd. Mae'r heddlu yn chwilio am ddyn barfog (*bearded*) yn ei ugeiniau cynnar.

Collodd naw cant o bobl eu swyddi pan gaeodd ffatri ger Abertawe heddiw. Bydd pedwar cant ohonyn nhw yn cael swyddi yn rhai o ffatrioedd eraill y cwmni ond mae'r gweddill heb swydd.

Yn gynnar y bore 'ma rhyddhawyd dau aelod o Gymdeithas yr Iaith o garchar Abertawe. Carcharwyd nhw bythefnos yn ôl am beidio â thalu dirwyon (*fines*) a gawson nhw wyth mis yn ôl.

Dywed yr AA fod y tywydd braf yn creu problemau ar ffyrdd Cymru. Mae traffic trwm ledled (*throughout*) y wlad wrth i bobl ruthro (*rush*) i'r traethau.

Ac yn olaf, y tywydd. Bydd yfory'n ddiwrnod braf arall gyda'r tymheredd (*temperature*) yn codi ychydig.

1. Tua faint yw oedran y dyn mae'r heddlu'n chwilio amdano?

   _____

2. Faint o bobl fydd yn ddi–waith yn dilyn cau'r ffatri?

   _____

3. Am faint fuodd aelodau Cymdeithas yr Iaith yn y carchar?

   _____

4. Pam mae ffyrdd Cymru mor brysur?

   _____

5. Fydd hi'n oerach yfory?

   _____

94

UNED PUM DEG

PAPURAU BRO

A. Ffordd amhersonol *(impersonal)* o ddweud.

Cofiwch:–   y terfyniad *(ending)* – **WYD**

Ces i fy stopio gan yr Heddlu	–	Stopiwyd fi gan yr Heddlu
Cest ti dy dalu ddoe	–	Talwyd ti ddoe
Cafodd y tŷ ei adeiladu o'r diwedd	–	Adeiladwyd y tŷ o'r diwedd
Cawson ni ein gwahodd i barti	–	Gwahoddwyd ni i barti
Cawson nhw eu gweld	–	Gwelwyd nhw
Cawsoch chi eich rhoi yn y seddau gorau	–	Rhoddwyd chi yn y seddau gorau

Dysgwch nawr:– y terfyniad – **IR**

	Wi'n cael fy stopio gan yr Heddlu yn aml	–	**Stopir fi gan yr heddlu yn aml**
+	Bydda i'n cael fy stopio gan yr Heddlu yn aml		
	Rwyt ti'n cael dy dalu 'fory	–	**Telir ti 'fory**
+	Byddi di'n cael dy dalu 'fory		
+	Cei di dy dalu 'fory		
	Mae'r tŷ yn cael ei adeiladu yn fuan	–	**Adeiledir y tŷ yn fuan**
+	Bydd y tŷ yn cael ei adeiladu yn fuan		
	Yn ni'n cael ein gwahodd i'r briodas	–	**Gwahoddir ni i'r briodas**
+	Byddwn ni'n cael ein gwahodd i'r briodas		
	Maen nhw'n cael eu gweld bob dydd	–	**Gwelir nhw bob dydd**
+	Byddan nhw'n cael eu gweld bob dydd		
	Yn ni'n cael ein rhoi yn y lle gorau	–	**Rhoddir ni yn y lle gorau**
+	Byddwn ni'n cael ein rhoi yn y lle gorau		

95

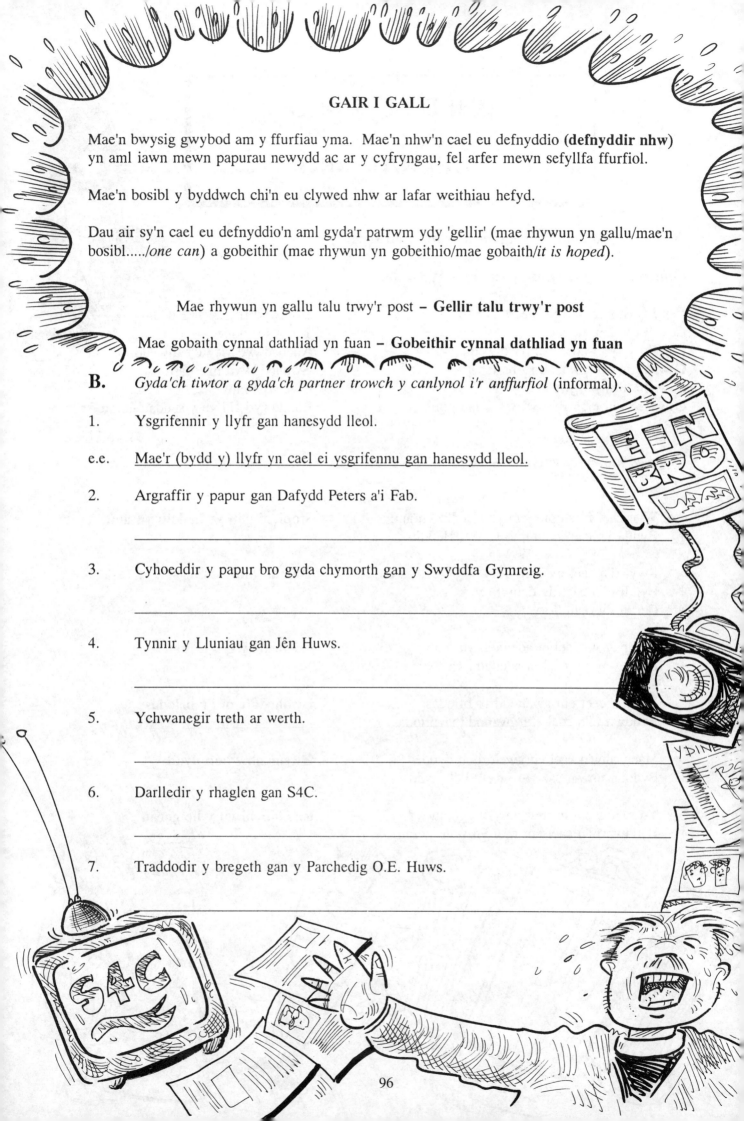

GAIR I GALL

Mae'n bwysig gwybod am y ffurfiau yma. Mae'n nhw'n cael eu defnyddio (**defnyddir nhw**) yn aml iawn mewn papurau newydd ac ar y cyfryngau, fel arfer mewn sefyllfa ffurfiol.

Mae'n bosibl y byddwch chi'n eu clywed nhw ar lafar weithiau hefyd.

Dau air sy'n cael eu defnyddio'n aml gyda'r patrwm ydy 'gellir' (mae rhywun yn gallu/mae'n bosibl...../*one can*) a gobeithir (mae rhywun yn gobeithio/mae gobaith/*it is hoped*).

Mae rhywun yn gallu talu trwy'r post – **Gellir talu trwy'r post**

Mae gobaith cynnal dathliad yn fuan – **Gobeithir cynnal dathliad yn fuan**

B. *Gyda'ch tiwtor a gyda'ch partner trowch y canlynol i'r anffurfiol* (informal).

1. Ysgrifennir y llyfr gan hanesydd lleol.

e.e. <u>Mae'r (bydd y) llyfr yn cael ei ysgrifennu gan hanesydd lleol.</u>

2. Argraffir y papur gan Dafydd Peters a'i Fab.

    _____

3. Cyhoeddir y papur bro gyda chymorth gan y Swyddfa Gymreig.

    _____

4. Tynnir y Lluniau gan Jên Huws.

    _____

5. Ychwanegir treth ar werth.

    _____

6. Darlledir y rhaglen gan S4C.

    _____

7. Traddodir y bregeth gan y Parchedig O.E. Huws.

DALIER SYLW: Does dim GAN bob tro.

8.   Cynhelir y Noson yn y Neuadd.

e.e.   <u>Mae'r (bydd y) noson yn cael ei chynnal yn y Neuadd.</u>

9.   Gellir cael copïau yn fuan.

_____

10.   Gobeithir trefnu gyrfa Chwist.

_____

11.   Estynnir croeso cynnes i bawb.

_____

12.   Ni chaniateir ysmygu yn yr adeilad hwn.

_____

13.   Rhoddir cyngor yn rhad ac am ddim.

_____

14.   Anfonir manylion atoch drwy'r post.

_____

15.   Gofynnir i chi amgau amlen a stamp.

_____

CROESO!

C.   *Trosodd gwelir dyfyniadau (quotations) o'r papurau bro **Y Rhwyd** a **Papur y Cwm**. Astudiwch yr iaith sy'n cael ei defnyddio (**a ddefnyddir**) gyda'ch tiwtor a'ch partner.*

    Mae papur bro yn eich ardal chi. Dewch â chopi gyda chi i'r dosbarth y tro nesaf.

PIGION O'R PAPUR BRO

Ofnir y gallai cymaint â 90% o'r cwningod yng Nghymru gael eu difa gan glefyd newydd sydd wedi lledu i Brydain o China. Ar hyn o bryd mae gwyddonwyr yn ceisio penderfynu sut gallan nhw leddfu'r effaith ar blanhigion a bywyd gwyllt.

AR OSOD

Gwahoddir ceisiadau am denant i:

DY CAPEL JERUSALEM, MYNYDD MECHELL, YNYS MÔN

Bydd y tenant yn ofalwyr y Capel.
Ymholiadau i:–
Mrs I. Roberts, Hafod y Grug, Mynydd Mechell
(01407 710775) am gopi o'r telerau
Ceisiadau i law erbyn Mawrth 10fed

Yn y llun, gwelir Angharad Davies, Louise Thomas a Liza Thomas o flwyddyn 10 yn helpu i bacio'r anrhegion.

CWYNO: Clywir am rai yn cwyno yn yr ardal o hyd, gartref ac mewn ysbyty. Yr ydym yn meddwl amdanoch a brysiwch wella.

CYNHELIR FFAIR NADOLIG YM MHLAS DYFFRYN
DYDD SADWRN, RHAGFYR 4 O 2–4 o'r gloch
Croeso Cynnes i bawb

Cyngor Cymdeithas Llangristiolus

Gofynnir am enwau i lenwi sêt wag ar y Cyngor yn Ward Llangristiolus

Enwau i'r Clerc:
G.E. Thomas
Penbedw
Llangefni
cyn
RHAGFYR 18 1995

Arweinir Cerddorfa Siambr Menai gan Edward Davies ar yr achlysur hwn, sydd hefyd yn cynnwys un o ddarnau mwyaf adnabyddus Mozart – Eine Kleine Nachtmusik.

Cydymdeimlir â theulu'r diweddar Dilwyn Roberts, Pontiets, a fu farw mor sydyn ym mis Mehefin. Cofir am ei gyfraniad i fyd addysg yng Nghwm Gwendraeth.

Aeth Dafydd Llwyd Roberts, Cefn y Bryn ar daith i Awstralia am gyfnod o flwyddyn. Dymunir pob llwyddiant a iechyd iddo a gobeithiwn y cawn bwt o hanes nawr ac yn y man!

Y BWRDD GOLYGYDDOL

Cyhoeddir Papur y Cwm gan Fwrdd Golygyddol y Papur. Nid yw'r Bwrdd Golygyddol, o angenrheidrwydd, yn cytuno â phob safbwynt a fynegir yn y papur.

CRONFA'R RHWYD

Chwyddodd y Gronfa i fwy na chan punt y mis hwn, diolch i unigolion a sefydliadau am bob cyfraniad, gwleir rhai enwau wrth y golofn hon yn fisol a gwerthfawrogir eu teyrngarwch.

Costau hysbysebu i Fusnesau yn 'Y Rhwyd'.
Maint 4 modfedd x 4 – £10.00 am un mis. Gostyngir y pris i £8.50 y mis am dri neu fwy ymddangosiad o'r un hysbyseb.

Cysylltwch â'r Swyddog Busnes a Dosbarthu'r Rhwyd i drafod eich anghenion hysbysebu. Gellir cynnig prisiau cystadleuol a theg am hysbyseb mwy na'r arfer

CYFARFOD O AELODAU'R PWYLLGOR AM 8.00 OR GLOCH

Erfynnir am bresenoldeb holl aelodau'r pwyllgor a diolchwn am gefnogaeth parod y plygwyr!

Cydnabyddir cefnogaeth Cyngor Celfyddydau Cymru.

LLYTHYRAU

Annwyl Olygydd,

Rydw i wedi bod yn dysgu Cymraeg ers nifer o flynyddoedd ar ôl ymddeol o'r gwaith. Yn ystod y cyfnod, mae ffrind da, Mr D.J. Thomas o Gaergybi wedi bod yn anfon Y Rhwyd bob mis, heb 'fail'. Mae o wedi bod yn gymorth mawr yn dysgu'r Gymraeg! Felly mae'n hyfrydwch nawr i mi roi cyfraniad bach tuag at Gronfa'r Rhwyd am y gwaith da. Ar ôl i mi ddarllen y Rhwyd mae o'n mynd at William Williams, sy'n byw yn ein pentref, ond ddaeth o Fryngwran, Ynys Môn yn wreiddiol. Mae o wedi ymddeol ac yn dal i siarad y Gymraeg fel 'Gog' cywir. Mae William yn gyfaill arbennig hefyd.

Yn gywir iawn

Cyril Johnson
Aberfan, Merthyr Tudful

Geirfa:

fo/o (gogledd)	–	fe/e (de)
ni chyhoeddir	–	yn ni ddim yn cyhoeddi (newyddion hwyr) fydd (newyddion hwyr) ddim yn cael ei gyhoeddi
plygir Y Glorian	–	Yn ni'n/byddwn ni'n plygu'r Glorian bydd y Glorian yn cael ei blygu....
erfynnir am	–	yn ni'n erfyn *(appeal)* am
gostyngir y pris	–	mae'r pris yn cael ei ostwng
gwelir rhai enwau	–	mae rhai enwau yn cael eu gweld
gwerthfawrogir eu teyrngarwch	–	mae eu teyrngarwch *(loyalty)* yn cael ei werthfawrogi

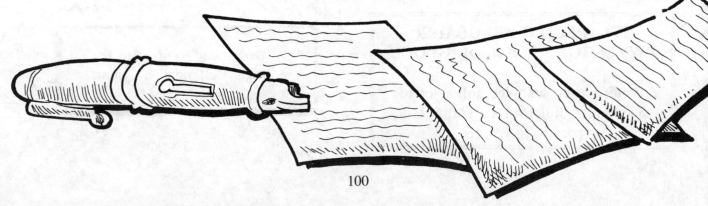

1. Darllen a Deall

Y PAPUR BRO

Cafodd y papur bro cyntaf, Y Dinesydd ei gyhoeddi yng Nghaerdydd ym 1973 gyda'r bwriad o annog pobl i ddarllen newyddion ac hanesion lleol trwy gyfrwng y Gymraeg. Erbyn 1975 roedd deg papur bro yng Nghymru ac mae'r rhifau wedi codi o flwyddyn i flwyddyn ers hynny. Yn 1979 roedd deunaw ar hugain papur bro mewn bodolaeth ac erbyn hyn mae dros hanner cant.

Mae'r gwaith yn cael ei wneud gan wirfoddolwyr gyda byrddau golygyddol a gohebwyr ym mhob ardal. Rhaid talu tua tri deg ceiniog am gopi fel arfer ac mae'r papurau yn cael eu cyhoeddi gyda chymorth ariannol oddi wrth Y Cymdeithasau Celfyddydau, Y Swyddfa Gymreig a Chynghorau lleol. Yn anffodus dyw'r arian ddim yn talu'r costau ac mae rhaid i'r pwyllgorau godi arian drwy hysbysebu ac ambell ymgyrch leol i gasglu arian.

Mae'r papurau i gyd ond un yn cael eu cyhoeddi bob mis, dim ond y **Dydd**, papur bro ardal Dolgellau sy'n wahanol am ei fod yn bapur wythnosol ac yn ddwyieithog. Fe sylwch fod llawer o'r papurau wedi cael eu henwi ar ôl rhyw gysylltiad lleol fel **Y Rhwyd** (môr a phorthladd), **Y Glannau** (ar yr arfordir), **Y Clawdd** (ar y ffin rhwng Cymru a Lloegr, **Seren Hafren** (a lannau'r Afon Hafren), **Glo Man** (ardal lofaol). Enwau eraill diddorol ydy **Llais Ogwen, Clonc, Clebran, Clochdar, Llafar Bro, Papur Pawb, Y Ddolen a Clecs y Cwm**.

Mae nhw'n dweud bod mwy o bobl yn darllen y papurau bro na sy'n darllen y **Daily Post** neu'r **Western Mail** ac mae hyn yn adlewyrchu pa mor boblogaidd ydyn nhw.

Geirfa:

annog	–	to urge	ymgyrch	–	campaign
cyfrwng	–	medium	porthladd	–	port
bodolaeth	–	existence	arfordir	–	coast
gwirfoddolwyr	–	volunteers	ffin	–	border
byrddau golygyddol	–	editing committees	ardal (g)lofaol	–	mining area
gohebwyr	–	reporters	adlewyrchu	–	to reflect

Atebwch gyda'r ffurfiau – WYD neu – IR:

1. Pryd gafodd y papur bro cyntaf ei gyhoeddi?

_____

2. Pwy sy'n gwneud y gwaith?

_____

3.   Sut mae'r pwyllgorau yn codi arian?

      _____

4.   Pryd mae **y Dydd** yn cael ei gyhoeddi?

      _____

5.   Ar ôl beth mae rhai papurau wedi cael eu henwi?

      _____

6.   Sut mae poblogrwydd y papurau yn cael ei adlewyrchu?

      _____

2.   *Darllenwch **Pigon o'r Papur Bro** a chwiliwch am y geiriau canlynol. Nodwch sut maen nhw'n cael eu newid (y newidir nhw) i'r amhersonol.*

e.e.   cynnal   –   cynhelir

       gofyn   –   _____

       gwahodd   –   _____

       clywed   –   _____

       gweld   –   _____

       arwain   –   _____

       ofni   –   _____

       cydymdeimlo   –   _____

       cofio   –   _____

       dymuno   –   _____

102

3. *Lluniwch boster yn hysbysebu Noson Goffi yn cynnwys y geiriau:*

Cynhelir

Rhoddir

Gobeithir

Gwobrwyir

Estynnir croeso i ......

UNED PUM DEG UN

BETH YCH CHI'N EI WYBOD A PHWY YCH CHI'N EI ADNABOD

A.   'NABOD

Ych chi'n 'nabod   Cymru'n dda?
                                 llawer o Gymry Cymraeg?
                                 yr ardal ych chi'n byw ynddi yn dda?

Wyt ti'n 'nabod Gwen,   fy chwaer i?
                                 fy mrawd?
                                 y Rheolwr\wraig banc newydd?
                                 rhywun ar y Cyngor?
                                 rhywun enwog?

Wi'n 'nabod Sir Benfro'n dda iawn erbyn hyn.
Yn ni'n 'nabod yr ardal ych chi'n sôn amdani.
Wi'n 'nabod Gwen ers iddi fod yn ferch fach.
Mae John yn 'nabod Huw, ron nhw yn yr ysgol gyda'i gilydd.
Maen nhw'n 'nabod y bobl bwysig i gyd!
Mae hi'n 'nabod pawb.
Dw i ddim yn eu 'nabod nhw o gwbl, yn anffodus!

GWYBOD

Ych chi'n gwybod   faint o'r gloch yw hi yn Sydney nawr?
                             pa mor bell yw Caergybi o Gaerdydd?
                             p'un yw'r mynydd ucha yng Nghymru?
                             beth yw bara lawr?
                             sut i goginio bara brith?
                             ble mae'r Eisteddfod Genedlaethol eleni?

Ydw. Wi'n gwybod yn iawn.
Wi'n meddwl mod i'n gwybod.
Wi'n siwr bod Gareth yn gwybod.
Mae Alwen yn gwybod popeth!
Maen nhw'n meddwl bod nhw'n gwybod y cyfan.
Dw i ddim yn meddwl mod i'n gwybod yr ateb.
Dw i ddim yn gwybod.
A dweud y gwir, does dim clem gyda fi!

Ot ti'n gwybod bod Helen a Dewi'n priodi?	Nac on, ond ron i'n gwybod eu bod nhw'n caru.
Ot ti'n gwybod am y gyfrinach?	On. Ron i'n gwybod o'r dechrau.
Oedd y plant yn gwybod am y peth?	Nac on. Don nhw ddim yn gwybod.
Pryd fyddwch chi'n gwybod?	Byddwn ni'n gwybod yr wythnos nesa', siwr o fod.
Fasen nhw'n gwybod, ych chi'n meddwl?	Mae'n debyg y basen nhw'n gwybod.

GAIR I GALL

Bydd y canlynol yn gymorth *(help)* i chi ddysgu sut yn ni'n defnyddio adnabod a gwybod:

ADNABOD: *know people and places, recognise*
  e.e. Wi'n 'nabod Jên yn dda.
    Wi'n 'nabod yr ardal yn eitha da.
    Bydd yr Heddlu yn 'nabod dy gar di.

GWYBOD: *know facts*
  e.e. Wi'n gwybod sut i drwsio'r peiriant
    Wi'n gwybod pwy enilliff y ras.
    Wi'n gwybod dy fod ti'n iawn.

Basai'n syniad da i chi wrando yn ofalus ar sut mae pobl yn defnyddio'r geiriau yma. Fasai Cymry Cymraeg byth yn dweud 'Wi'n gwybod Jên', *(I know Jên)*. Serch hynny, *however*, mae'n bosibl dweud 'Wi'n gwybod **am** Jên', *(I know **about** Jên)*.

105

SY (SYDD)

Beth yw		Rhywun sy'n	
	llyfrgellydd?		gweithio mewn llyfrgell
	morwr?		gweithio ar y môr
	tiwtor Cymraeg?		trio dysgu Cymraeg i bobl
	Llydaweg?	Iaith sy'n cael ei siarad yn Llydaw.	
	bara lawr?	Bwyd sy'n cael ei wneud o wymon *(seaweed)*	
	Llanfairpwllgwyngyllgogerychwyrndrobwll–llantysilioogogoch?		
		Lle sy'n enwog am ei enw.	

Pwy yw pwy?

Pwy yw   Dafydd Iwan?   Dyn sy'n canu caneuon Cymraeg a . sy'n Gyfarwyddwr Cwmni Recordiau Sain.

Beti George?   Cymraes sy'n cyflwyno rhaglenni radio a theledu.

Hywel Gwynfryn?   Cymro sy'n cyflwyno rhaglenni radio a theledu ac yn dod o Langefni, Ynys Môn yn wreiddiol.

Caryl Parry Jones?   Cantores a digrifwraig sy'n cyflwyno rhaglenni hefyd.

Bryn Terfel?   Dyn sy'n enwog drwy'r byd am ganu opera.

Iola Gregory?   Yr actores sy'n chwarae rhan Mrs Mac yn Pobl y Cwm.

Ffa Coffi Pawb, Beganfis, Sobin a'r Smaeliaid, Bob Delyn ac Anhrefn   Grwpiau pop sy'n canu yn Gymraeg.

SY (SYDD) WEDI

Pwy yw Mark Aizlewood?   Dyn sy wedi chwarae pêl droed i Gymru. Dyn sy wedi ennill Cystadleuaeth Dysgwr y Flwyddyn.

OEDD

Pwy oedd   Sant Nicholas?   Dyn oedd yn helpu pobl mewn angen ers talwm.

Margaret Thatcher?   Y fenyw oedd yn byw yn rhif 10.

Gwenynen Gwent?   Arglwyddes oedd yn cefnogi'r iaith yn y ganrif ddiwethaf.

Llywelyn?   Y dyn oedd yn Dywysog dros Gymru.

Brenin Arthur?   Dyn oedd yn frenin ar yr hen Geltiaid.

OEDD/SYDD

Pwy oedd	Capten Harri Morgan?	Môr-leidr sy'n enwog am ei rym.
	Guto Nyth Bran?	Dyn sy'n cael ei gofio fel rhedwr traws gwlad.
	Mohandas Gandhi?	Arweinydd ysbyrdol sy'n cael ei gofio am wrthwynebu *(oppose)* defnyddio trais.

WNAETH

Pwy oedd	Aneurin Bevan?	Y dyn wnaeth ddechrau'r Gwasanaeth Iechyd Cenedlaethol *(National Helath Service)*.
	Lloyd George?	Y dyn roddodd bensiwn i bawb.
	Neil Armstrong?	Y dyn wnaeth gerdded ar y lleuad?
	Nero?	Y dyn roddodd Rhufain ar dân?
	Hilary a Tensing?	Y dynion cyntaf wnaeth ddringo Everest.
	Madog?	Y dyn wnaeth ddarganfod *(discovered)* America.

B.1. Gyda'ch tiwtor a gyda'ch partner ymarferwch y patrymau gan ddefnyddio engreifftiau *(examples)* o bobl a phethau eraill e.e.

sosej	y Beatles	Leonardo da Vinci
crempog/pancwsen	Pavarotti	Tina Turner
carped	dodo	siampŵ
Swperted	Pont Hafren	moron

2. Gyda phartner ymarferwch y patrwm gan ofyn cwestiynau fel:

Ych chi'n nabod rhywun
sy'n byw yn . . . . ?
sy'n gweithio mewn . . . . ?
sy wedi bod yn . . . . ?
oedd yn byw yn . . . . ?
wnaeth drio cystadleuaeth Dysgwr y Flwyddyn?
fydd yn mynd i'r Eisteddfod Genedlaethol?

DYSGWR Y FLWYDDYN

3. Ych chi eisiau gwybod faint o bobl yn y dosbarth . . . .

. . . . sy'n gwneud y loteri genedlaethol?
sy'n smocio?
sy'n llysieuwyr *(vegetarians)*?
sy'n byw o fewn pum milltir i'r dosbarth?
sy ddim wedi bod i fyny'r Wyddfa?
oedd yn byw yng Nghymru pan on nhw'n blant?
fydd yn mynd allan Nos Sadwrn nesa?
wnaeth edrych ar S4C neithiwr?
sy'n gallu rhoi bawd eu troed ar eu trwynau?

Ysgrifennwch un cwestiwn yr un ar ddarn o bapur a gofynnwch eich cwestiwn chi i bawb.

Wyt ti'n gallu rhoi bawd dy droed ar dy drwyn?

ENW   ATEB

Ar y diwedd esboniwch yr atebion i'ch cwestiwn wrth y dosbarth:

e.e.   Dim ond un ohonon ni sy'n gallu   rhoi bawd ein troed ar ein trwynau.
Chwech ohonon ni'n sy'n gallu
Does neb ohonon ni'n gallu

C. 1 Dyma fap o Gymru. Ych chi'n gwybod ble mae'r llefydd yma a beth sydd yno? Rhowch y canlynol yn y lle iawn:

1. Parc Cenedlaethol
2. Yr Amgueddfa Werin
3. Y Ganolfan Iaith Genedlaethol
4. Y Llyfrgell Genedlaethol
5. Eglwys Gadeiriol
6. Llys Llywelyn
7. Porthladd
8. Y Sioe Amaethyddol
9. Parc yr Arfau

2. Siaradwch mewn grwpiau o dri am y llefydd ych chi wedi bod ynddyn nhw yng Nghymru. Dwedwch pryd, pam, gyda phwy a chofiwch ddweud beth sy yno.

109

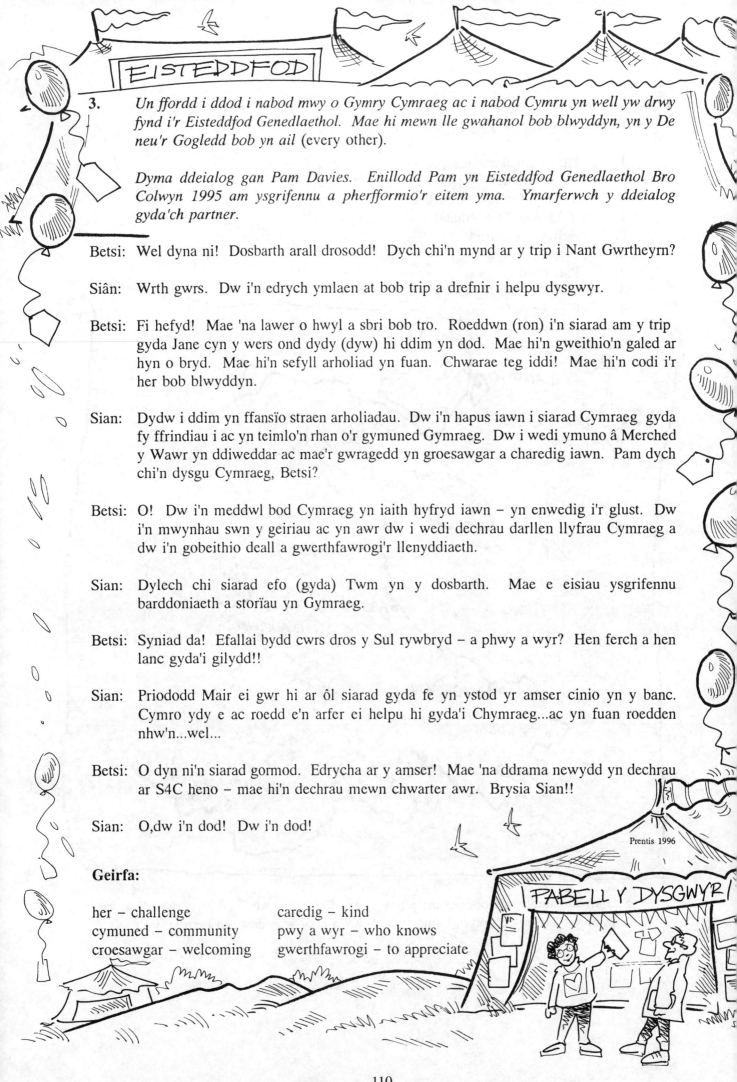

EISTEDDFOD

3. *Un ffordd i ddod i nabod mwy o Gymry Cymraeg ac i nabod Cymru yn well yw drwy fynd i'r Eisteddfod Genedlaethol. Mae hi mewn lle gwahanol bob blwyddyn, yn y De neu'r Gogledd bob yn ail (every other).*

Dyma ddeialog gan Pam Davies. Enillodd Pam yn Eisteddfod Genedlaethol Bro Colwyn 1995 am ysgrifennu a pherfformio'r eitem yma. Ymarferwch y ddeialog gyda'ch partner.

Betsi: Wel dyna ni! Dosbarth arall drosodd! Dych chi'n mynd ar y trip i Nant Gwrtheyrn?

Siân: Wrth gwrs. Dw i'n edrych ymlaen at bob trip a drefnir i helpu dysgwyr.

Betsi: Fi hefyd! Mae 'na lawer o hwyl a sbri bob tro. Roeddwn (ron) i'n siarad am y trip gyda Jane cyn y wers ond dydy (dyw) hi ddim yn dod. Mae hi'n gweithio'n galed ar hyn o bryd. Mae hi'n sefyll arholiad yn fuan. Chwarae teg iddi! Mae hi'n codi i'r her bob blwyddyn.

Sian: Dydw i ddim yn ffansïo straen arholiadau. Dw i'n hapus iawn i siarad Cymraeg gyda fy ffrindiau i ac yn teimlo'n rhan o'r gymuned Gymraeg. Dw i wedi ymuno â Merched y Wawr yn ddiweddar ac mae'r gwragedd yn groesawgar a charedig iawn. Pam dych chi'n dysgu Cymraeg, Betsi?

Betsi: O! Dw i'n meddwl bod Cymraeg yn iaith hyfryd iawn – yn enwedig i'r glust. Dw i'n mwynhau swn y geiriau ac yn awr dw i wedi dechrau darllen llyfrau Cymraeg a dw i'n gobeithio deall a gwerthfawrogi'r llenyddiaeth.

Sian: Dylech chi siarad efo (gyda) Twm yn y dosbarth. Mae e eisiau ysgrifennu barddoniaeth a storïau yn Gymraeg.

Betsi: Syniad da! Efallai bydd cwrs dros y Sul rywbryd – a phwy a wyr? Hen ferch a hen lanc gyda'i gilydd!!

Sian: Priododd Mair ei gwr hi ar ôl siarad gyda fe yn ystod yr amser cinio yn y banc. Cymro ydy e ac roedd e'n arfer ei helpu hi gyda'i Chymraeg...ac yn fuan roedden nhw'n...wel...

Betsi: O dyn ni'n siarad gormod. Edrycha ar y amser! Mae 'na ddrama newydd yn dechrau ar S4C heno – mae hi'n dechrau mewn chwarter awr. Brysia Sian!!

Sian: O,dw i'n dod! Dw i'n dod!

Prentis 1996

Geirfa:

her – challenge	caredig – kind
cymuned – community	pwy a wyr – who knows
croesawgar – welcoming	gwerthfawrogi – to appreciate

PABELL Y DYSGWYR

GWAITH CARTREF

1. **Ysgrifennu**

i) Llenwch y bylchau gyda **sy, sy'n, oedd, wnaeth** neu **sy wedi.**

1. Wi'n nabod y bobl _____ byw drws nesa i chi.

2. Mae e'n nabod y dyn _____ yn gweithio yn y chwarel ers talwm.

3. Yn ni'n gwybod pwy _____ fandaleiddio'r ciosg.

4. Wi'n gwybod pwy _____ dorri'r ffenest.

5. Wi'n nabod rhywun _____ bod i Nebo.

6. Wyt ti'n gwybod beth _____ enw mam Dewi Sant.

7. Ych chi'n gwybod am rywun _____ glanhau simne.

8. Beth _____ mynd pit–pata, pita–pata, hw–hw, pita–pata, pita–pata, hw–hw?

9. ATEB: Llygoden _____ cerdded ar hyd 'radiator'.

10. Dw i ddim yn gwybod beth _____ bod.

ii) Ysgrifennwch baragraff yn sôn am rywun enwog neu ddiddorol ych chi wedi ei gyfarfod neu yn ei adnabod. (tua 150 gair).

111

2.   Darllen a Deall.

Ar y tudalen nesaf mae crynodeb (summary) o raglen pabell y dysgwyr yn yr Eisteddfod. Darllenwch y cwestiynau isod a chwiliwch am yr atebion.

Geirfa:

beirniadaethau – adjudications   Y Fedal Ryddiaith – The Prose Medal
unawd – solo   cyflwyniad – presentation
rhagbrawf – preliminary test   pedwarawd – quartette
terfynol – final   adrodd – recitation
cerdd dant – instrumental music   gwyddoniaeth – science
cynhyrchiad – production   Grym Mawl – Power of Praise
gwenyn – bees   parhad – continuation

1.   Beth sy'n digwydd am 9.45 bob bore?

2.   Am faint o'r gloch mae'r grwpiau sgwrsio yn cael eu cynnal bob dydd?

3.   Pwy sy'n dangos Fideo o Seremoni'r Cadeirio?

4.   Sawl cystadleuaeth sydd i ddysgwyr?

5.   Pwy sy'n cadw gwenyn?

6.   Pryd gallwch chi gyfarfod Dysgwr y Flwyddyn?

CRYNODEB O RAGLEN PABELL Y DYSGWYR - BRO CEREDIGION

Amser / Dydd	9.30	9.45	10.00	11.00	12.00	1.30	2.00	3.00	4.00
Llun	brecwast	Beirniadaethau 83, 84, 85	Gwersi grwpiau A (Dechreuwyr) a grŵp B (parhâd)	Grŵp Sgwrsio Sgwrs am y Babell Celf a Chrefft	Parti Dawns Aelwyd Aberystwyth yn cynnwys dawns glocsio	Gwneud Basgedi, D.J.Davies.	Caligraffi, Ogwyn Davies	Cystadleuaeth Unawd Alaw Werin	Fideo o'r Coroni yng nghwmni Alun Jones
Mawrth		Rhagbrawf (79) Adrodd Unigol	Gwersi grwpiau A (Dechreuwyr) a grŵp B (parhâd)	Grŵp Sgwrsio Sgwrs am y Babell Lên	Rownd Derfynol Cwis Cenedlaethol CYD	1.30 - 2.30 Cerdd Dant Aled Lloyd Davies a Bethan Bryn	2.30 - 4.00 Cynhyrchiad Drama / Gweithdy	2.30 - 4.00. Cynhyrchiad Drama / Gweithdy	Cadw Gwenyn yng nghwmni William Griffiths
Mercher		Beirniadaethau 86, 87, 88	Gwersi grwpiau A (Dechreuwyr) a grŵp B (parhâd)	Grŵp Sgwrsio Sgwrs am Theatr y Maes	Rownd Derfynol Y Cartref Cymraeg	Origami, Falyri Jenkins	Gwneud Matiau Clwt, Edwina Davies	Cystadleuaeth sgets fyrfyr	Fideo o Seremoni'r Fedal Ryddiaith gyda Heini Gruffydd
Iau		Rhagbrawf (80) Cyflwyniad Llafar	Gwersi grwpiau A (Dechreuwyr) a grŵp B (parhâd)	Grŵp Sgwrsio Sgwrs am y Babell Gigiodigion	Sesiwn gyda chystadleuwyr Dysgwr y Flwyddyn	Consurio yng nghwmni ROSFA	Consurio yng nghwmni ROSFA	Cystadleuaeth Adrodd Stori / Chwedl	Adloniant yng nghwmni Pedwarawd Preseli
Gwener		Beirniadaethau 89, 90, 91	Gwersi grwpiau A (Dechreuwyr) a grŵp B (parhâd)	Grŵp Sgwrsio Sgwrs am y Babell Wyddoniaeth	Gêmau Iaith	Hwyl a Chân yng nghwmni Meredydd Evans a Phyllis Kinney	Hwyl a Chân yng nghwmni Meredydd Evans a Phyllis Kinney	Cyflwyniad i Eisteddfodau '93, '94 a '95	Fideo o Seremoni'r Cadeirio yng nghwmni E. G. Millward
Sadwrn			Sesiwn Gêmau Iaith yng nghwmni Eirwen Llwyd Jones	Grym Mawl gydag Arfon Jones, (Caneuon Cristionogol Newydd)					

3. Tipyn o hwyl

i) *Dyw alchohol ddim yn cael ei werthu ar faes yr Eisteddfod Genedlaethol ond mae rhai pobl yn dweud bod angen bar yno. Gweler cartwn Gareth Roberts o'r Cymro o wythnos yr Eisteddfod 1996.*

ii) *Dyma lun Helen Clifford, arlunydd o Ganolfan Chapter yng Nghaerdydd, yn adeiladu odyn (kiln) ar gyfer ei danio ar faes yr Eisteddfod dydd Sadwrn. Gosodwyd yn y ffwrn (furnace) ddefnyddiau bob dydd. Gyda hi mae Will Moss, Emma Parker a Helen Malia. Lluniwch gaptiwn neu bennawd (headline) i'r llun.*

DISGRIFIO

A. Disgrifio lle, person neu wrthrych (*object*).

1. *Mae popeth yn y lluniau naill ai'n* (either) *enw benywaidd (e.b.) neu'n enw gwrywaidd (e.g.) ar wahân i 'tafarn', 'adfail' ac 'aber' sy'n gallu bod yn un neu'r llall* (one or the other) *(e.g.b.) Defnyddiwch y rhestr o ansoddeiriau* (adjectives) *yn Adran A2 i'w disgrifio. Dilynwch y patrwm:*

ci bach tew   merch fach denau

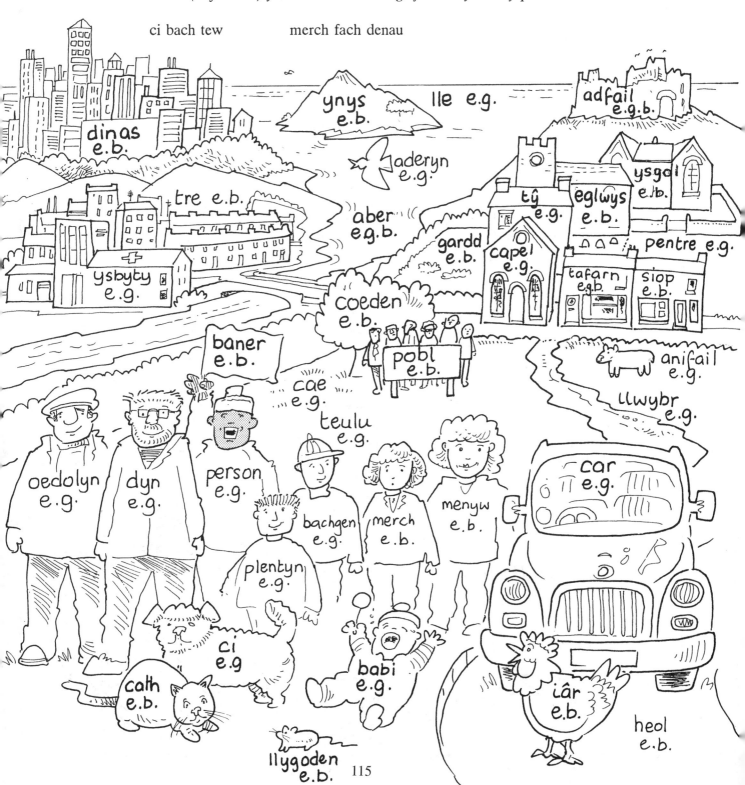

2. *Defnyddiwch y rhestr yma o ansoddeiriau yn y gweithgareddau. Mae'r rhestr yma wedi'i gynnwys yn Saesneg–Cymraeg yng nghefn y llyfr i'ch hwyluso. Ceisiwch ddysgu y rhai sy'n newydd i chi.*

amryddawn – versatile
anferth – enormous
anniben – untidy
annifyr – miserable/unpleasant
bach – small
barus – greedy
blewog – hairy/furry
blin – bad–tempered
brwnt – dirty
bywiog – lively
canolog – central
caredig – kind
cariadus – affectionate
cryf – strong
cul – narrow
cwrtais – courteous
cyfeillgar – friendly
cyfleus – convenient
cyflym – speedy
cyfoethog – wealthy
cyfforddus – comfortable
cyhoeddus – public
cymdeithasol – sociable
cysgodol – sheltered
chwilfrydig – inquisitive
da – good
dibynadwy – dependable
diddorol – interesting
diflas – boring/miserable
diog – lazy
distaw – quiet
doniol – funny
drellwyd – smelly
drud – expensive
drwg – bad

dwl – silly
eiddil – frail
eithriadol – exceptional
enwog – famous
ffôl – foolish
glan – clean
golau – light
gosgeiddig – graceful
gwael – poor
gwan – weak
gwlyb – wet
gwyllt – wild
hapus – happy
hardd – beautiful
hen* – old
hir – long
hoffus – likeable
hudol – enchanting
ifanc – young
llawen – merry
llawn – full
llithrig – slippery
lliwgar – colourful
llydan – wide
mawr – big
meddal – soft
meddylgar – thoughtful
moethus – luxurious
myglyd – smoke
newydd – new
pell – far
prydferth – beautiful
prysur – busy
rhad – cheap
rhesymol – reasonable

rhydlyd – rusty
salw – ugly
swnllyd – noisy
sych – dry
syth – straight
taclus – tidy
talentog – talented
tawel – quiet
tenau – thin
tew – fat
trefnus – orderly
troellog – windy
tywyll – dark

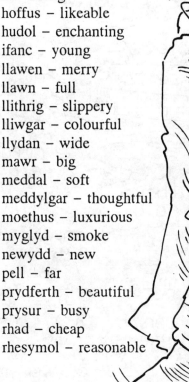

* *Cofiwch fod 'hen' yn dod o flaen y gair ac yn achosi treiglad meddal.*

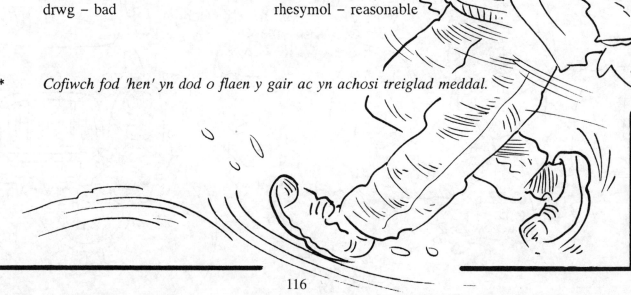

B. 1. *Byddwch chi eisiau disgrifio'r lluosog* (plural) *hefyd. Defnyddiwch yr   ansoddeiriau eto i'w disgrifio. Dyma restr i'ch atgoffa chi.*

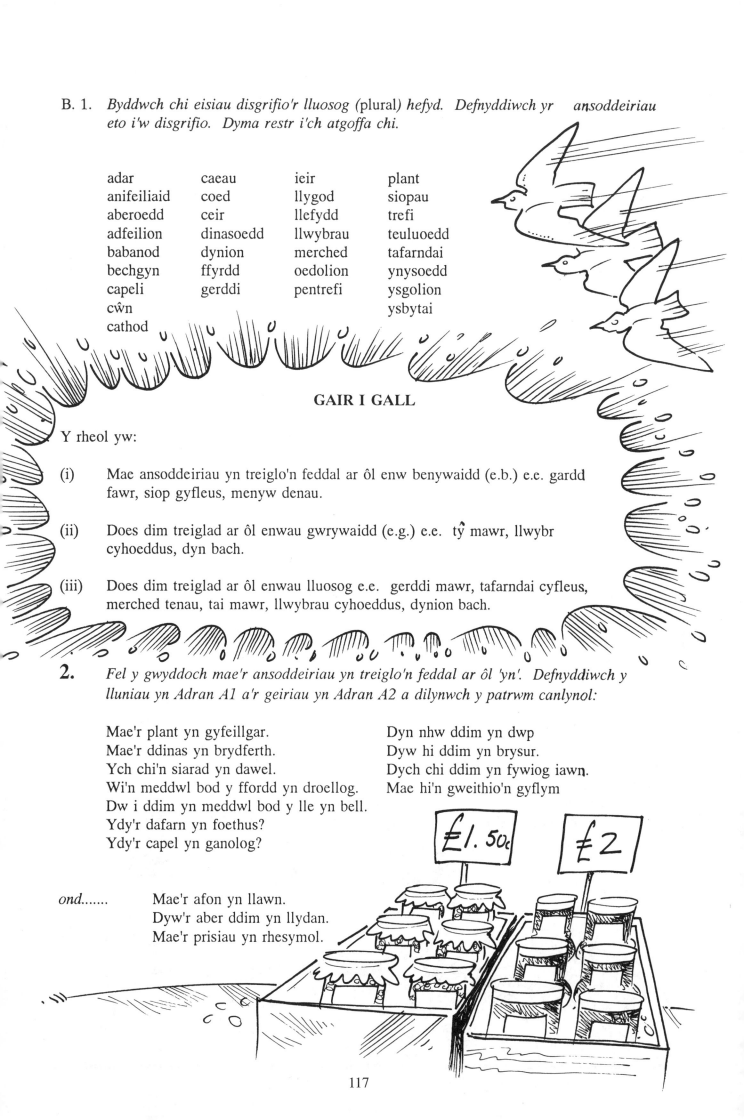

adar	caeau	ieir	plant
anifeiliaid	coed	llygod	siopau
aberoedd	ceir	llefydd	trefi
adfeilion	dinasoedd	llwybrau	teuluoedd
babanod	dynion	merched	tafarndai
bechgyn	ffyrdd	oedolion	ynysoedd
capeli	gerddi	pentrefi	ysgolion
cŵn			ysbytai
cathod			

GAIR I GALL

Y rheol yw:

(i)   Mae ansoddeiriau yn treiglo'n feddal ar ôl enw benywaidd (e.b.) e.e. gardd fawr, siop gyfleus, menyw denau.

(ii) Does dim treiglad ar ôl enwau gwrywaidd (e.g.) e.e. tŷ mawr, llwybr cyhoeddus, dyn bach.

(iii) Does dim treiglad ar ôl enwau lluosog e.e. gerddi mawr, tafarndai cyfleus, merched tenau, tai mawr, llwybrau cyhoeddus, dynion bach.

2.   *Fel y gwyddoch mae'r ansoddeiriau yn treiglo'n feddal ar ôl 'yn'. Defnyddiwch y lluniau yn Adran A1 a'r geiriau yn Adran A2 a dilynwch y patrwm canlynol:*

Mae'r plant yn gyfeillgar.
Mae'r ddinas yn brydferth.
Ych chi'n siarad yn dawel.
Wi'n meddwl bod y ffordd yn droellog.
Dw i ddim yn meddwl bod y lle yn bell.
Ydy'r dafarn yn foethus?
Ydy'r capel yn ganolog?

Dyn nhw ddim yn dwp
Dyw hi ddim yn brysur.
Dych chi ddim yn fywiog iawn.
Mae hi'n gweithio'n gyflym

ond.......   Mae'r afon yn llawn.
Dyw'r aber ddim yn llydan.
Mae'r prisiau yn rhesymol.

117

GAIR I GALL

Y rheol yw:

Mae popeth ond 'll' a 'rh' yn treiglo'n feddal ar ôl yr 'yn' pan mae'n cael ei   ddefnyddio yn y ffordd hon – gydag ansoddair neu adferf (*adverb*).

C.   Cymharu

1.   *Ar y ddau dudalen nesaf mae manylion am aelodau o sgrymiau Cymru a'r Alban a chwaraeodd ym Mharc yr Arfau ym 1996. Penderfynwch fod yn A neu B a gyda'ch partner llenwch y bylchau gan ofyn y cwestiynau priodol. Peidiwch ag edrych ar atebion eich partner.*

2.   *Nawr, gyda'ch partner atebwch y cwestiynau.*

    (a)   Pwy yw'r chwaraewr   tryma?
                                     ysgafna?
                                     tala?
                                     byrra?
                                     ifanca?
                                     hena?

    (b)   Ydy'r aelodau o sgrym Cymru'n henach, ar y cyfan?
    (c)   Pwy sy wedi chwarae fwya dros ei wlad?
    (ch)   Pwy yw'r lleia profiadol?
    (d)   Beth yw'r gwahaniaethau rhwng Rhif 6 Cymru a'r Alban?

Geirfa:

Cefnwr – Full-back (15)

Asgell dde – Right wing (14)

Canolwr – Right/Left centre (13/12)

Asgell chwith – Left wing (11)

Maswr – Stand-off (10)

Mewnwr – Scrum-half (9)

Y rheng flaen – Loose-head prop (1)

                  – Tight-head prop (3)

Yr ail reng – Lock (4/5)

Y rheng ôl – No 8

Bachwr – Hooker (2)

Blaenasgell – Left/Right flanker (6/7)

PARTNER A UNDEB RYGBI CYMRU

CYMRU

ENW	TALDRA	PWYSAU	OED
A.L.P. Lewis 2 gap	5' 10"	?	23
J.M. Humphreys 6 chap	?	?	27
J.D. Davies 25 cap	?	16st 7p	?
G.O. Llewellyn 42 cap	6' 6"	17st 10p	?
D. Jones 11 cap	?	?	26
E.W. Lewis 38 cap	6' 4"	16st 8p	?
R.G. Jones 2 gap	6' 0"	?	24
H.T. Taylor 17 cap	?	16st 7p	32

Y SGRYM

Rhif 1 — Y Rheng Flaen
Rhif 2 — Bachwr
Rhif 3 — Y Rheng Flaen
Rhif 4 — Yr Ail Reng
Rhif 5 — Yr Ail Reng
Rhif 6 — Blaenasgell
Rhif 7 — Blaenasgell
Rhif 8 — Y Rheng Ôl

YR ALBAN

ENW	TALDRA	PWYSAU	OED
D.I.W. Hilton 12 cap	?	?	26
K.D. McKenzie 6 chap	?	14st 10p	?
P.H.Wright 18 cap	5' 11"	?	?
S.J. Campbell 24 cap	6' 6"	?	24
G.W. Weir 35 cap	?	17st 5p	26
R.I. Wainwright 20 cap	6' 4½"	?	?
I.R. Smith 14 cap	?	14st 12p	31
E.W. Peters 11 cap	6' 5"	?	?

UNDEB RYGBI CYMRU

CYMRU				Y SGRYM	YR ALBAN			
ENW	TALDRA	PWYSAU	OED		ENW	TALDRA	PWYSAU	OED
A.L.P. Lewis 2 gap	?	15st 0p	?	Rhif 1 Y Rheng Flaen	D.I.W. Hilton 12 cap	5'10½"	16st 8p	?
J.M. Humphreys 6 chap	6'0"	16st 4p	?	Rhif 2 Bachwr	K.D. McKenzie 6 chap	5'6"	?	28
J.D. Davies 25 cap	5'10"	?	27	Rhif 3 Y Rheng Flaen	P.H. Wright 18 cap	?	17st 12p	29
G.O. Llewellyn 42 cap	?	?	27	Rhif 4 Yr Ail Reng	S.J. Campbell 24 cap	?	17st 5p	?
D. Jones 11 cap	6'10"	18st 7p	?	Rhif 5 Yr Ail Reng	G.W. Weir 35 cap	6'6"	?	?
E.W. Lewis 38 cap	?	?	28	Rhif 6 Blaenasgell	R.I. Wainwright 20 cap	?	15st 7p	31
R.G. Jones 2 gap	?	16st 7p	?	Rhif 7 Blaenasgell	I.R. Smith 14 cap	6'0"	?	?
H.T. Taylor 17 cap	6'2"	?	?	Rhif 8 Y Rheng Ôl	E.W. Peters 11 cap	?	16st 6p	27

1. *Llenwch y bylchau a phenderfynwch os oes angen treiglo'r geiriau mewn cromfachau ai peidio.*

1. Mae gwely _____ gyda fi. (twym)

2. Mae'r gwely yn _____. (twym)

3. Wi'n byw mewn pentre _____. (cyfeillgar)

4. Ydy'r pentre'n lle _____? (diddorol)

5. Mae cath _____ iawn gyda nhw. (blewog)

6. Dyma gadair _____! (cyfforddus)

7. Don nhw ddim yn _____ iawn. (cwrtais)

8. Roedd y bobl yn _____. (cymdeithasol)

9. Cawson ni haf _____. (gwlyb)

10. Gwell i chi fynd ag ymbarel, mae'n _____ iawn tu allan. (gwlyb)

11. Alla i ddim ateb y ffôn, wi'n rhy _____. (prysur)

12. Rhaid i chi fod yn fwy _____. (trefnus)

13. Roedd tŷ _____ gyda nhw. (moethus)

14. Teisen arall? – Dim diolch, wi'n _____. (llawn)

15. Mae hen gar _____ gyda fi. (rhydlyd)

16. Mae lleoedd _____ iawn yng Nghernyw. (prydferth)

17. Nadolig _____! (llawen)

18. Dw i ddim yn meddwl fod e'n _____. (doniol)

19. Mae e'n _____. (dwl)

20. Pobl _____ sy'n byw yn Mayfair. (cyfoethog)

2. Darllen a Deall

PORTREAD

NIGEL WALKER

Ganwyd fi yn Ysbyty Dewi Sant yng Nghaerdydd, 32 mlynedd yn ôl, a magwyd fi yn Rhymni, Caerdydd. Es i i Ysgol Uwchradd Rhymni a gadael yn 18 oed ar ôl cymryd fy arholiadau Lefel A.

Fy swydd iawn gyntaf i oedd fel cynorthwywr gweinyddol yn y Swyddfa Gymreig, ac ar hyn o bryd wi'n gweithio fel Swyddog Datblygu i Gyngor Chwaraeon Cymru (*Sports Council for Wales*).

Y tu allan i fyd rygbi a fy nheulu i does dim llawer o amser gyda fi i ddiddordebau eraill. Wi'n hyfforddi chwe gwaith yr wythnos, ac wi'n trio gwneud fy rhan i'n magu'r plant, sy'n ddwy a hanner a naw mis oed – nid mod i'n cwyno!

Addewais i mi fy hun y baswn i'n dysgu Cymraeg ryw ddydd pan oeddwn i'n gweithio i'r BBC adeg gêm Pencampwriaeth y Bum Gwlad (*Five Nations Championships*). Roedd Cymru yn chwarae'r Alban (*Scotland*) yn Murrayfield, ac es i allan i ginio gyda rhyw ddwsin o bobl eraill a oedd i gyd yn gallu siarad Cymraeg – roeddwn i'n teimlo dipyn bach yn annigonol! Gan fy mod i wedi bod yn dweud ers deng mlynedd fy mod i'n byw yng Nghymru ac felly y dylwn i allu siarad fy iaith frodorol i, dyma'r sbardun delfrydol. Yr unig broblem oedd cael hyd i'r amser i wneud hynny.

Mae dysgu gyda Catchphrase yn syml: mae'n golygu ffeindio dim ond pum munud bob dydd am gyfnod o bedair blynedd. Gan fy mod i'n treulio tipyn o amser yn gyrru car, wi'n gwrando ar dapiau ohono i fy hun yn y car yn ogystal. Wi felly yn dysgu am tua dwy awr neu dair awr bob wythnos ar gyfartaledd. Er nad ydw i'n hollol rhugl eto, wi'n bendant ar y ffordd i fod.

Beth ydy fy uchelgais i at y dyfodol? Wi eisiau adennill fy lle i yn nhim rygbi Cymru; wi eisiau mynd i fyd darlledu'n llawn amser, ac, wrth gwrs, wi eisiau bod yn rhugl yn y Gymraeg ymhell cyn troad y ganrif.

Geirfa:

cynorthwywr gweinyddol	– administrative assistant	sbardun	– spur
swyddog datblygu	– development officer	delfrydol	– ideal
hyfforddi	– to train	yn ogystal	– as well
cwyno	– to compain	ar gyfartaledd	– on average
addo	– to promise	rhugl	– fluent
annigonol	– inadequate	darlledu	– to broadcast
brodorol	– native	troad y ganrif	– turn of the century

122

1. Sut fasech chi'n disgrifio Nigel pan roedd e yn yr ysgol?

   _____

2. Pa fath o riant yw e?

   _____

3. Pa eiriau fasech chi'n eu defnyddio i ddisgrifio agwedd Nigel tuag at ddysgu Cymraeg?

   _____

4. Sut roedd Nigel yn teimlo pan aeth allan i ginio gyda phobol oedd yn siarad Cymraeg?

   _____

5. Disgrifiwch nodweddion corfforol ac ymddangosiad (*physical features and appearance*) Nigel.

   _____

   _____

   _____

3. Ysgrifennu.

Ysgrifennwch eich atebion ar ddarn o bapur.

1. *Ysgrifennwch ddau baragraff yn disgrifio dau aelod o'ch teulu.*

2. *Ych chi wedi prynu celficyn newydd ac eisiau gwerthu'r hen un. Ych chi wedi rhoi hysbyseb yn y papur newydd ac mae rhywun wedi eich ffonio am fwy o wybodaeth. Disgrifiwch yr eitem a chofiwch roi'r mesuriadau os oes angen.*

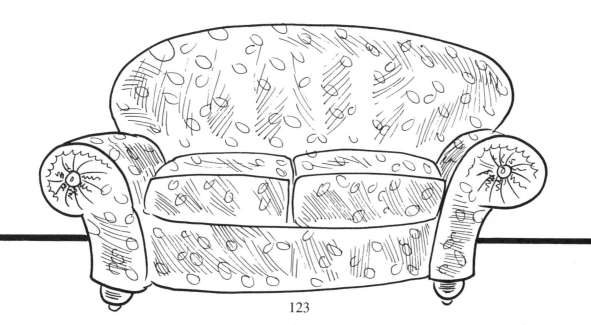

DEFNYDDIO'R 'YES/NO' CYWIR A CHADW'R SGWRS YN MYND.

A. *Gyda'ch tiwtor a gyda'ch partner atebwch y cwestiynau gyda YES/NO gan ddefnyddio'r opsiynau canlynol:*

Ie / Nage

Caf / Na chaf

Oes / Nac oes

Bydda / Na fydda

Ydw / Nac ydw

On / Nac on
Oeddwn / Nac oeddwn

Do / Naddo

Baswn / Na faswn

Gwnaf / Na wnaf

1. *Atebwch y canlynol gyda 'YES'.*

Ych chi'n gwybod ble mae'r llyfrgell ?   e.e.   ydw _____

Myfyriwr ych chi? _____

Ot ti'n byw yng Nghymru pan ot ti'n blentyn? _____

Fyddi di'n mynd i'r farchnad ar ddydd Iau? _____

Wnewch chi ffafr i mi? _____

Fasech chi'n hoffi cwpaned? _____

Gei di frecwast cyn gadael? _____

Gewch chi gyfle i ddweud eich barn? _____

Bostiaist ti'r llythyrau? _____

Oes amser gyda ti am sgwrs? _____

2. *Atebwch y canlynol gyda 'NO'.*

Ych chi'n mynd i'r cyfarfod nos 'fory?   e.e.   <u>Nac ydw</u>

Och chi'n meddwl bod y rhaglen yn dda?   _____

Fyddi di'n dod i'r dosbarth ar gefn beic?   _____

Wnei di roi benthyg arian i mi?   _____

Faset ti'n canu mewn cystadleuaeth carioci?   _____

Gewch chi godiad cyflog nawr?   _____

Gei di ddod i weld y gêm dydd Sadwrn?   _____

Weloch chi'r ffilm arswyd 'na neithiwr?   _____

Oes caws Emmental gyda chi, os gwelwch yn dda?   _____

B.   *Fel y gwyddoch mae rhaid newid yr 'YES/NO' i gydfynd â'r person y rhan fwyaf o'r amser. Gyda'ch partner atebwch gyda 'YES/NO' i'r canlynol. (Mae rhestr i'ch helpu yng nghefn y llyfr).*

Sylwch ar y geiriau sydd wedi'u hychwanegu (added) ar ôl yr atebion. Bydd rhain yn gymorth i chi ddangos sut ych chi'n teimlo.

Yn ni'n cael egwyl am goffi?   _____   (✓), wrth gwrs

Ydyn nhw'n well na ni?   _____   (X), siwr iawn

Oedd hi'n braf ar y mynydd?   _____   (✓), wir

On nhw'n mynd yn gyflym?   _____   (✓), mae'n debyg

Fyddi di'n mynd bob tro?   _____   (✓), os yn bosibl

Fyddan nhw'n ennill bob tro?   _____   (X), wrth lwc

Fydd dillad glaw gyda'r plant?   _____   (✓), wi'n credu

Fasai pawb yn cytuno, ych chi'n meddwl?   _____   (✓), wi'n siwr

Enilliff y ceidwadwyr yr etholiad nesa?   _____   (✓), meddan nhw

Wnei di gymryd tasci gartre?   _____   (✓), mwy na thebyg

Wnaiff y car basio'r prawf y tro yma?   _____   (X), dim siawns

Gawsoch chi hwyl yn y dafarn?	_____	(✓), siwr iawn
Gawn ni ein harian yn ôl?	_____	(✓), wrth reswm
On nhw'n gwybod am y peth?	_____	(X), yn anffodus
Ga i gadw'r ci bach?	_____	(X), dim peryg
Oes digon o fwyd?	_____	(✓), mwy neu lai
Wyt ti am wirfoddoli?	_____	(X), dim diolch
Yn Nhibet mae'r ieti?	_____	(✓), yn ôl bob sôn
Gawsoch chi amser da?	_____	(✓), ardderchog
Basiodd Don ei brawf gyrru?	_____	(X), treuni
Ych chi'n hapus nawr?	_____	(✓), am y tro

C. 1. *Mae'n bosib gofyn cwestiwn gan ddefnyddio 'tags'. Gyda'ch tiwtor a gyda'ch
partner sylwch ar yr enghreifftiau hyn:*

Mae'n braf, **on'd yw hi?**
Ych chi'n cytuno, **on'd ych chi?**
Roedd e'n dda, **on'd oedd e?**
Bydd hi'n werth mynd, **on' bydd hi?**
Mae rhywbeth o'i le, **on'd oes e?**
Fi sy'n iawn, **on'd i'fe?**
Basai hi'n braf ennill y loteri, **on' basai hi?**
Aeth hi i'r ysgol, **on'd do fe?**

Dyw hi ddim yn oer, **nac yw hi?**
Ych chi ddim yn poeni, **nac ych chi?**
Doedd e ddim yn rhy ddrwg, **nac oedd e?**
Dim fi sy ar fai, **nac i'fe?**
Ddwedoch chi ddim byd, **naddo fe?**

126

2. *Nawr dilynwch y patrwm uchod gyda'r canlynol:*

Wi'n rhy dew, <u>on'd ydw i?</u>

Rwyt ti'n iawn, _____?

Mae hi'n lwcus, _____?

Mae e'n hen nawr, _____?

Yn ni'n ffôl _____?

Ych chi'n deall, _____?

Maen nhw'n ddrud, _____?

3. Fi yw'r bos_____?

Cawson ni hwyl, _____?

Est ti ddim, _____?

Yng Nghaerdydd maen nhw'n byw, _____?

Fydd y post ddim wedi cyrraedd, _____?

Basai'r plant yn siomedig, _____?

Mae eisiau cael hwyl, _____?

Don nhw ddim yn deall, _____?

Bydd rhaid i ni ymarfer, _____?

Wi'n rhy dew, on'd ydw i?

CH. SGWRSIO

1.   *Ymarferwch y ddeialog ganlynol gyda'ch partner.*

Sgwrs rhwng dau ffrind.

Ifor: Shwmae, Derec, mae hi'n braf, on'd yw hi?

Derec: Wel, roedd hi'n braf cyn i ti ddod yma. Mae rhywbeth yn bod on'd oes e? Beth wyt ti eisiau, benthyg punt neu ddwy, i'fe?

Ifor: Nage, nage! Paid â siarad fel 'na. Mae syniad ardderchog gyda fi. Beth am fynd i'r Twmpath Dawns nos Wener nesa?

Derec: Twmpath Dawns? Arglwydd mawr, alla i ddim dawnsio, mae dwy droed chwith gyda fi.

Ifor: 'Sdim ots. Paid â phoeni am y dawnsio. Bydd hi'n werth mynd, on' bydd hi?

Derec: Pam fydd hi'n werth mynd, te?

Ifor: Y merched – llawer ohonyn nhw – merched ifanc.

Derec: Ifor bach, wi bron yn chwe deg pedwar. Mae Merched y Wawr yn rhy ifanc i fi.

Ifor: Cawson ni hwyl y tro diwethaf, on'd do fe?

Derec: Cest <u>ti</u> hwyl. Ches i ddim hwyl yn eistedd mewn cornel gyda rhyw bregethwr yn siarad am Fethodistiaeth yn y ddeunawfed ganrif, naddo fe?

Ifor: Paid â bod yn ddiflas. Bydd y cwrw'n dda. Rwyt ti'n hoff o gwrw, on'd wyt ti?

Derec: Nac ydw, dim nawr, wi'n cael camdreuliad

Ifor: Dim diddordeb mewn dawnsio – merched – na chwrw! Beth sy wedi digwydd? Rwyt ti'n hen ddyn, on'd wyt ti?

Derec: Mae hi'n drist, ond wi'n meddwl fod ti wedi dweud y gwir.

2.	*Weithiau, pan yn ni'n disgrifio o'r gorffennol, yn ni'n dod â'r gorffennol i'r amser presennol i'w wneud yn fwy byw, gan ddefnyddio 'dyma'*
	Gwrandewch ar eich tiwtor yn darllen y darn canlynol a sylwch ar sut mae 'dyma' yn cael ei ddefnyddio.

Roedd gardd Mr Parry, Llain, yn llawn tatws newydd a dyma Eifion a minnau yn penderfynu basai platiaid o datws newydd gyda menyn ffres yn flasus i de. Dyma ni'n mynd i mewn drwy'r gât gan wybod bod Mr Parry oddi cartref.

Roeddwn i'n gwisgo anorac gyda lastic rownd y gwaelod a'r garddyrnau ac fe lenwais y pocedi, y corff a'r hwd gyda'r tatws. Yn anffodus, fel roedden ni'n gwneud ein ffordd oddi yno dyma ni'n clywed car Mr Parry yn parcio o flaen y ty.

"Well i ni ei bachu hi o ma", meddwn wrth Eifion. A dyma ni'n neidio dros ben wal bella'r ardd i ddianc. Yn anffodus, roedd lefel y wal yn is o lawer ar yr ochr arall a dyma fi i lawr fel tunnell o frics yn glewt ar y llawr. Ych chi'n gweld, syrthies i'n gyflym iawn oherwydd pwysau'r holl datws. Roeddwn i'n ddu-las am ddyddiau – ond o, roedd y tatws yn dda.

3.	*Ceisiwch gofio am rywbeth doniol, difyr, anarferol neu hunllefus ddigwyddodd i chi neu i rywun arall pan roch chi'n blentyn. Mewn grwpiau o dri cymerwch dro i ddweud stori a gofyn cwestiynau.*

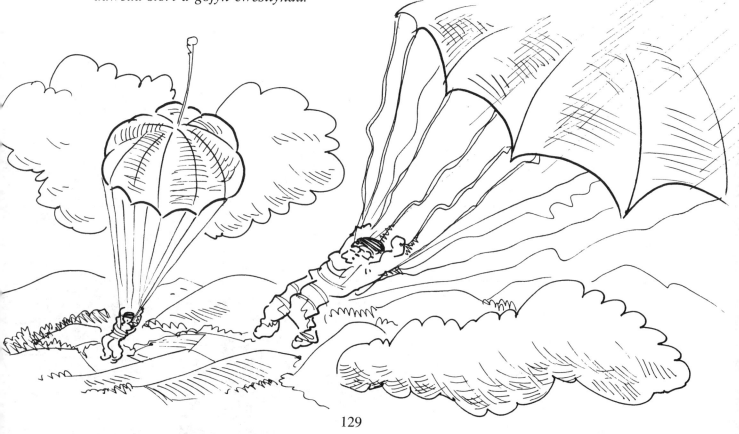

GWAITH CARTREF

1. *Atebwch neu cytunwch gyda* ✓ YES / ✗ NO

e.e.	Yn y neuadd mae'r cyfarfod?	(atebwch)	ie	(✓)
	Yn y neuadd mae'r cyfarfod.	(cytunwch)	ie	(✓)
	Dyw'r cyfarfod ddim yn y neuadd	(cytunwch)	nac ydy	(✗)

1. Ydy'r cwrs yn dda? _____ (✓)

2. Ydy'r tiwtor yn gyfeillgar? _____ (✗)

3. Yn ni'n mynd am drip? _____ (✓)

4. Roedd y trên yn hwyr _____ (✓)

5. Doedd y bobl ddim yn hapus _____ (✗)

6. Ateboch chi mo'r ffôn _____ (✗)

7. Oes rhywbeth yn bod? _____ (✓)

8. Yn Aberystwyth ych chi'n byw? _____ (✓)

9. Dim yng Nghymru gafodd e ei eni _____ (✗)

10. Ddylwn i golli pwysau? _____ (✓)

11. Dylai'r gath fynd at y milfeddyg. _____ (✓)

12. Gawn ni smocio yma? _____ (✗)

13. Gaiff y plant ddod i'r dafarn? _____ (✓)

14. Gân nhw yfed alcohol? _____ (✗)

15. Symudiff e ddim. _____ (✗)

16. Gofian nhw? _____ (✓)

17. Fasai hi'n syniad da? _____ (✓)

18. Fasai'r teulu yn hoffi symud ty? _____ (✗)

19. Dwedodd hi bod rhaid iddi fynd. _____ (✓)

20. Ym mis Mai mae'r etholiad fel arfer. _____ (✓)

2. Darllen a deall

Chwedl Priodas Nant Gwrtheyrn

Yn un o ffermydd y Nant, yn ôl y stori, roedd bachgen heb dad na mam o'r enw Rhys Maredydd yn byw gyda'i chwaer. Yn un arall o ffermydd y Nant roedd merch o'r enw Meinir Maredydd yn byw gyda'i thad. Roedd Rhys a Meinir tua'r un oedran ac yn gefnder a chyfnither i'w gilydd. Yn blant bach, bydden nhw'n cyd-chware. Gydag amser, tyfodd yr eneth a'r bachgen yn llances a llanc. Y cam nesaf oedd i Rhys a Meinir syrthio mewn cariad a chytuno i briodi. Penderfynon nhw ar ddyddiad a dechreuon nhw baratoi. Ifan Ciliau oedd y gwahoddwr yn y plwyf a'i waith oedd mynd o gwmpas yr ardal i gyhoeddi'r newyddion da. Gwnaeth e ei waith yn dda. Ymwelodd â phob ty i gyhoeddi y byddai Rhys a Meinir yn priodi yn Eglwys Clynnog ar ddydd Sadwrn arbennig. Gwahoddodd rai o'r cymdogion i ymweld â'r Nant cyn y briodas gydag anrhegion i'r pâr ifanc. Daeth y cymdogion i gyd, un gyda darn o frethyn, un arall gyda blawd ceirch a'r lleill gyda phethau syml, defnyddiol wedi eu gwneud gartref. Roedd digon o fwyd a diod i bawb ac roedd hi'n ddiwrnod o hwyl yn y Nant. Roedd pawb yn hapus ac yn edrych ymlaen at fwy o hwyl y diwrnod wedyn.

Daeth bore'r briodas. Roedd hi'n braf pan gychwynnodd Rhys am Glynnog. Arhosodd Meinir yn nhŷ ei thad yn disgwyl i ffrindiau Rhys ddod ar eu ceffylau i fynd â hi i'r egwlys. Yn sydyn, gwelodd hi'r criw yn carlamu i lawr i'r Nant a rhedodd i ffwrdd i guddio. Roedd pobl yn disgwyl iddi wneud hynny, yn ôl arferion priodi yr hen amser.

Rhedodd o'r tŷ ac aeth i guddio yn un o'r mydylau gwair. Meddyliodd hi fod un o'r bechgyn wedi'i gweld hi a rhuthrodd i ffeindio rhywle arall i guddio. Chwiliodd ffrindiau Rhys amdani am amser hir iawn ac yn y diwedd penderfynon nhw fynd hebddi. Roedden nhw'n meddwl ei bod hi wedi dianc ac wedi mynd i'r eglwys ar ei phen ei hun. Ond doedd dim son amdani yng Nghlynnog ac erbyn hyn roedd pawb yn poeni – a Rhys, yn naturiol, yn fwy pryderus na neb.

Rhuthrodd Rhys a'i ffrindiau yn ôl i'r Nant i ddechrau chwilio eto ond doedd dim sôn amdani. Chwilion nhw trwy'r nos a thrwy'r dydd nesaf, ond yn y diwedd roedd yn rhaid i bawb dderbyn bod rhywbeth rhyfedd wedi digwydd i Meinir. Doedd Rhys ddim yn fodlon rhoi'r gorau i chwilio. Byddai'n crwydro'r Nant ddydd a nos yn gweiddi "Meinir, Meinir". Aeth misoedd heibio. Byddai Rhys yn mynd yn aml at geubren hen dderwen uwchben y môr lle roedd e a Meinir wedi arfer cyfarfod pan oedden nhw'n caru.

Roedd yn eistedd yno un noson pan ddaeth storm fawr o fellt a tharannau. Yn sydyn, dyma fellten yn taro'r goeden ac yn ei hollti. Y tu mewn i'r ceubren roedd sgerbwd dynol â darnau o wisg briodas. Yn ôl y stori, roedd gweld y sgerbwd yn ormod i Rhys. Bu farw yn y fan a'r lle a chafodd y ddau eu claddu yn yr un bedd.

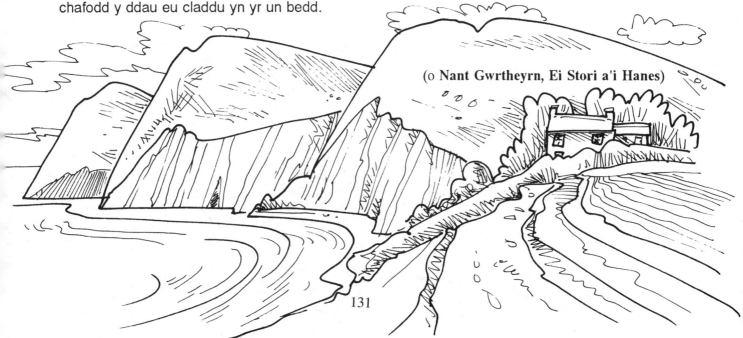

(o **Nant Gwrtheyrn, Ei Stori a'i Hanes**)

Geirfa:

ceubren – coeden wag / a hollow tree
gwahodwr – dyn sy'n gwahodd / a bidder
blawd ceirch – oatflour / meal
carlamu – to gallop
arferion – customs
mydylau gwair – haycocks
pryderus – worried
derwen – an oak tree

mellt–lightning
tarannau – thunder
dynol – human
hollti – to split
sgerbwd – esgyrn dyn
anifail / a skeleton

Darllenwch y darn a dwedwch a yw'r gosodiadau (statements) *yma'n wir neu gau* (false).

	GWIR	GAU

1. Doedd dim mam gyda Rhys.

2. Doedd dim tad gyda Meinir.

3. Roedd Rhys a Meinir yn perthyn i'w
    gilydd.

4. Postmon oedd Ifan y Ciliau.

5. Rhoddodd y cymdogion anrhegion
    drud i'r pâr ifanc.

6. Roedd ffrindiau Rhys ar gefn ceffylau.

7. Roedd hi'n hen arferiad priodi i'r
    briodferch redeg i ffwrdd a chuddio.

8. Wnaeth ffrindiau Rhys ddim trafferthu
    (*bother*) chwilio amdani.

9. Buodd Meinir farw y tu mewn i hen
    goeden wag.

10. Roedd Rhys yn fodlon ar ôl gweld sgerbwd
    ei gariad.

3. Ysgrifennu

Edrychwch ar y cartwn isod ac ysgrifennwch y stori. Cofiwch ddisgrifio'r dillad, yr adeg o'r flwyddyn a theimladau'r trempyn.

HWN A'R LLALL.

A. *Yn Saesneg mae defnyddio 'this', 'that', 'these' a 'those' yn eitha syml.
Yn Gymraeg mae llawer mwy o ddewis ac mae hynny'n dibynnu ar:*

(i)   *a yw'r peth yn fenywaidd neu wrywaidd.*
(ii)   *a yw'r peth yn unigol neu luosog*
(iii)   *a yw'r peth yn y golwg neu o'r golwg.*
(iv)   *a yw'r peth yn haniaethol* (abstract).

1.   **hon**   **hwn**

Defnyddiwch 'hon' (e.b.) neu 'hwn' (e.g.) gyda'r geiriau yn y rhestrau   *canlynol:*

e.e.   coeden   <u>y goeden hon</u>

       bwrdd   <u>y bwrdd hwn</u>

Enwau benywaidd:

merch	_____	het	_____
sbectol	_____	esgid	_____
ffurflen	_____	punt	_____
ceiniog	_____	siec	_____
trwydded yrru	_____	amlen	_____

Enwau gwrywaidd:

mab	_____	siswrn	_____
beiro	_____	llyfr	_____
tâp	_____	bag	_____
llun	_____	dyddiadur	_____
llythyr	_____	stamp	_____

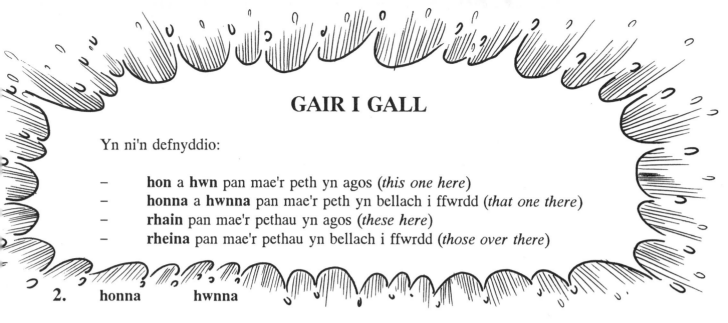

GAIR I GALL

Yn ni'n defnyddio:

- **hon** a **hwn** pan mae'r peth yn agos (*this one here*)
- **honna** a **hwnna** pan mae'r peth yn bellach i ffwrdd (*that one there*)
- **rhain** pan mae'r pethau yn agos (*these here*)
- **rheina** pan mae'r pethau yn bellach i ffwrdd (*those over there*)

2.   honna   hwnna

*Bydd eich tiwtor wedi dod â phethau i'r dosbarth ac yn eu rhoi nhw ar y bwrdd o'ch blaen. Penderfynwch a ydynt yn fenywaidd neu wrywaidd ac arbrofwch gyda **hon**, **hwn**, **honna**, a **hwnna** gan bwyntio at y pethau gyda'ch bys. Bydd eich tiwtor yn eich cywiro chi.*

135

3. rhain rheina

Siaradwch am y pethau yn y setiau canlynol gan ddefnyddio rhain a rheina. Dyfalwch pam maen nhw yn y setiau. Pam mae'n nhw'n debyg neu'n wahanol. Bydd eich tiwtor yn rhoi mwy o esiamplau o'r categorïau i chi.

e.e. – mae'r rhain i gyd yn anifeiliaid blewog
– mae'r rheina'n offer gweithio.

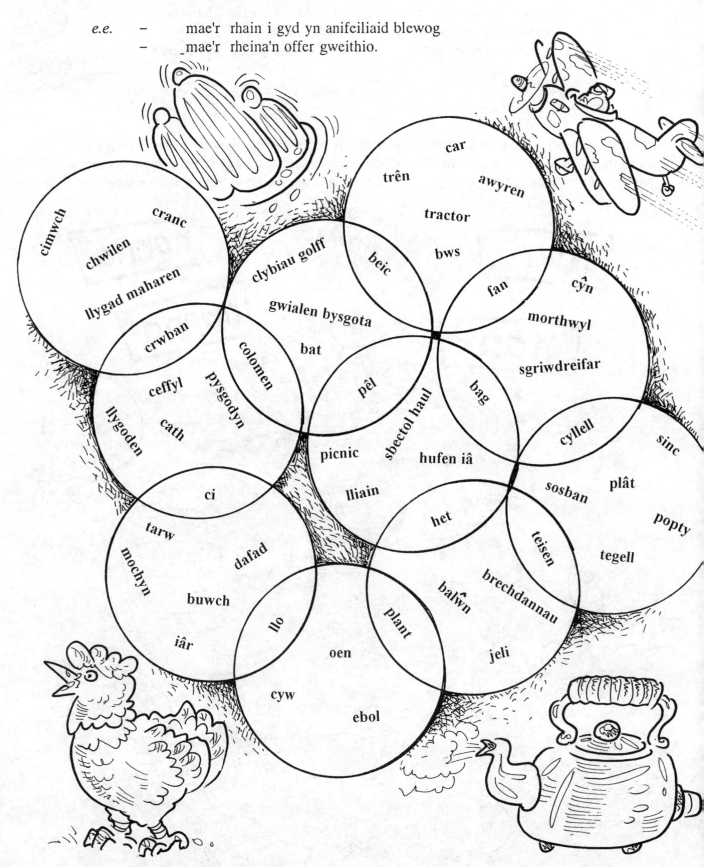

cimwch
cranc
chwilen
llygad maharen
crwban
ceffyl
pysgodyn
llygoden
cath
ci
tarw
mochyn
buwch
iâr
llo
dafad
cyw
oen
ebol

clybiau golff
gwialen bysgota
bat
colomen
pêl
picnic
lliain
sbectol haul
hufen iâ
het
balŵn
plant
jeli
brechdannau

car
trên
awyren
tractor
bws
beic
fan
cŷn
morthwyl
sgriwdreifar
bag
cyllell
sosban
teisen
tegell
sinc
plât
popty

4.   hyn   hynny

Yn ni'n defnyddio'r geiriau yma pan mae'r pethau yn ni'n siarad amdanyn nhw yn haniaethol (*abstract*).

e.e   Pam ych chi'n byhafio fel hyn?
      Fel hyn ych chi'n ei wneud e.
      Faint yw hynny?
      Ddylet ti ddim gwneud hynny?
      Ych chi'n gwybod hynny?
      Ot ti'n gwybod hynny?
      Chofion nhw mo hynny.

137

B. Sgwrsio

Gyda'ch tiwtor ac mewn grwpiau ymarferwch y sgets ganlynol.

SGETS – Y parti

Mae Gareth, Mona a Gwilym ym mharti Delyth sy'n tipyn o gymdeithaswraig (socialite).
Mae'n amlwg bod Mona a Gareth yn chwilio am gwmni (company).

Gareth: Sut wyt ti, ers talwm! Dw i ddim wedi dy weld di ers roedden ni yn y chweched yn yr ysgol. Beth wyt ti'n wneud gyda dy hunan y dyddiau hyn?

Mona: Wel, dyma syrpreis!   Gareth, Lôn Groes, dwyt ti ddim wedi newid dim. Sut mae pethau gyda ti?   Wyt ti wedi priodi?

Gareth: Ydw. Wi wedi priodi Eleri, Ty'n 'Rardd. A ti?

Mona: Na, ond wi'n caru gyda bachgen o Lerpwl. *(yn wamal – frivolously)* Fallai byddwn ni'n priodi y flwyddyn nesa.

Gareth: Wyt ti'n nabod y bobl yma?

Mona: Wi'n nabod rhai ohonyn nhw.

Gareth: Weli di honna, fan'co, ar bwys y ffenest? Wyt ti'n ei nabod hi?

Mona: Pwy? Honna â'r ffrog ddu?

Gareth: Ie. Mae hi'n caru gyda hwnna sy ar bwys y drws.

Mona: Erioed! Ond mae e'n gyfeillgar iawn gyda honna mewn pinc.

Gareth: Ydy. Ei wraig e yw hi. Pwy yw'r rheina sy'n codi bys bach ar bwys y lle tân?

Mona: Aelodau'r Clwb Golff yw'r rheina. Wyt ti'n gweld hwnna gyda'r wasgod felen? Meirion Parry yw e, mae handicap o 2 gyda fe. Dw i ddim yn nabod y lleill.

Gareth: Wi wedi gweld honna â'r gwallt piws sy'n smocio a gwmpas y lle yn rhywle o'r blaen. O ie, wi'n cofio nawr. Mae hi'n bridio pŵdls ac wedi ennill yn Cruffts llynedd. Edrycha! Dyna Gwil. Wyt ti'n ei nabod e?

Mona: Nac ydw. Pwy yw e?

138

Gareth: Mae e'n frawd i Sam ochr gam *(ochr-gamu – side-step)* chwaraeodd rygbi dros Gymru yn 1975. Dere i gwrdd â fe.

(Mae Gareth a Mona yn mynd draw at Gwilym)

Gareth: Halo Gwil! Sut wyt ti, 'achan!

Gwilym: Y...... Mae'n flin gyda fi, ydw i i fod i'ch nabod chi?

Gareth: Gareth, 'achan! Gareth Wyn, asgell dde, tîm pêl-droed yr ysgol. Ac mae'n siwr dy fod ti'n cofio hon.

Mona: Mona,........ Mona Philips.

Gareth: Mona oedd athletwraig orau'r flwyddyn yn 1970.

Mona: O, peidiwch â gwrando arno fe, mae e'n malu awyr.

(mae hi'n gafael ym mraich Gwilym ac yn gadael Gareth ar ei ben ei hun)

Beth mae dyn golygus fel ti yn ei wneud mewn lle fel hyn?

Gwilym: Y .... ych chi'n mwynhau'r parti?

Mona: Ydw, nawr. Dim mwy o'r 'chi' 'na os gweli di'n dda. Cei di ddweud 'ti' wrtha i. Ydy, mae'n barti bendigedig. Mae digon i'w yfed ac mae'r bobl yn ddiddorol. Pwy yw'r rheina sy'n edrych arnat ti?

Gwilym: Fy ngwraig, Lisabeth, a fy merch, Gwawr, ydyn nhw.

Mona: *(wedi siomi ac yn newid y pwnc)* O. Pwy yw hwnna sy'n eistedd yn y gornel? Wi'n nabod ei wyneb e.

Gwilym: Rhywun sy'n darllen y newyddion ar y teledu wi'n meddwl. Ond pwy yw honna sy gyda fe?

Mona: O, mae honna wedi bod mewn drama ar S4C – yn tynnu ei dillad. Edrych, pwy yw hwnna sy'n siarad gyda nhw nawr?

Gwilym: Alwyn Carawê, mae e'n actio hefyd.

Mona: Ych chi'n ei nabod e?

Gwilym:	Ddim yn bersonol, ond wi'n nabod rhywun sy'n nabod rhywun sy'n ei nabod e.
Mona:	O? A phwy yw hwnnw?
Gwilym:	Caradog, Siop Trin Gwallt yn y pentre.
Mona:	Af i draw atyn nhw am sgwrs, wi'n meddwl.

(Mae Mona yn gadael Gwilym ac yn mynd i chwilio am gwmni mwy diddorol. Mae Delyth yn dod heibio gyda llond hambwrdd o ddanteithion – delicacies)

Delyth:	Gwilym, cariad, faset ti'n hoffi un o'r rhain?
Gwilym:	Mm! Mae hwn yn edrych yn flasus. Cymera i un o'r rhain, a'r rhain, a'r rheina, a'r rheina. Un, dau, tri, pedwar – mae hynny'n ddigon.
Delyth:	Mwynha'r parti Gwil. Esgusoda fi, cariad, mae rhywun pwysig yn disgwyl amdana i yn yr ystafell nesa.
Gwilym:	O, ... un arall fel hynny!

(Ar ddiwedd y noson – amser mynd gartre).

Mona:	Mae hwn wedi bod yn barti eitha da on'd yw e? Gyda llaw, ble mae Eleri heno?
Gareth:	Mae hi wedi fy ngadael i. Mae hi wedi rhedeg bant gyda Robin, Penterfyn. Maen nhw wedi mynd i Awstralia. Doeddet ti ddim yn gwybod hynny?
Mona:	Nac ôn. Wel, wel! Rwyt ti ar dy ben dy hunan, felly! Waeth i tiddod gartre gyda fi, te.
Gareth:	Dim ond os yw'r coffi gorau, gyda ti on'd i'fe?

GWAITH CARTREF

1. *Llenwch y bylchau gyda* **hwn, hon, rhain, rheina, hwnna, honna, hyn,** *neu* **hynny.**

1. Beth ych chi'n feddwl o _____?   (siwmper e.b.)

2. Mae_____ dros gan mlwydd oed.   (coeden e.b.)

3. Dyw_____ddim yn mynd yn dda, mae eisiau gwasanaeth llawn arno fe.
    (car e.g.)

4. Mae _____ yn rhy fach i mi.   (crys e.g.)

5. Mae _____ yn rhy fawr i mi.   (trowsus e.g.)

6. Wi'n hoffi'r _____ sydd ar fy nhraed i   (esgidiau)

7. Mae'n well gyda fi'r _____ sydd yn y ffenest.   (esgidiau)

8. _____, fan 'na, yw'r athrawes newydd.

9. _____ gyda barf yw'r canwr opera enwog.

10. Fydd dim amser gyda fi i wneud _____, mae'n flin gyda fi.

11. Gwelais i _____ yn Llundain y llynedd (drama e.g.)

12. Wi'n mwynhau fy hun cymaint wi'n moyn gwneud _____ eto.

13. Mae _____ yn hollol ddwl!

14. Peidiwch â gwneud _____.

15. Pleidleisiodd pawb yn erbyn a doedd hi ddim yn hoffi _____.

2. Darllen a Deall

Darllenwch yr hysbyseb canlynol ac atebwch y cwestiynau.

Yn Eisiau

Mae teulu yn ardal Aberystwyth yn chwilio am rywun i ofalu am ddau blentyn chwe mis oed a dwy oed yn eu cartref rhwng 8am a 4pm am bum niwrnod yr wythnos a phob yn ail benwythnos. Y gwaith i ddechrau ar 1 Ionawr 1997 ac i barhau tan 30 Mehefin. Cynigir cyflog rhwng £90 a £110 yr wythnos yn dibynnu ar (i) gymwysterau a (ii) phrofiad yr ymgeisydd o ofalu am blant. Disgwylir i'r person lanhau'r tŷ. Am fanylion pellach, ffoniwch 01678 362719 wedi chwech o'r gloch y nos.

1. Ble yn Aberystwyth bydd y person yn edrych ar ôl y plant?

   _____

   _____

2. Pa fath o berson fydd yn cael £110?

   _____

   _____

3. Beth fydd yn rhaid i'r person ei wneud er mwyn cael gwybod mwy am y swydd?

   _____

   _____

4. Pryd bydd rhywun yn y tŷ i ateb cwestiynau?

   _____

   _____

142

3.   Llenwi Ffurflen.

Wrth siopa yn eich archfarchnad leol, gofynnodd aelod o'r staff i chi lenwi'r   ffurflen isod a'i dychwelyd i'r siop.

1.   Pa mor bell ych chi'n teithio i'r siop?   _____

2.   Sut ych chi'n teithio i'r siop? _____

3.   Pa mor aml fyddwch chi'n dod i'r siop? _____

4.   Fyddwch chi'n siopa mewn archfarchnadoedd eraill? _____

5.   Pam ych chi'n dewis dod i siopa yma? (tua 70 o eiriau)

_____

_____

_____

_____

_____

_____

_____

6. Beth hoffech chi ei newid yn y siop? (tua 70 o eiriau)

_____

_____

_____

_____

_____

_____

7. Mae'r Cwmni'n ystyried polisi Cymraeg yn y siop. Beth yw eich barn?
(tua 50 o eiriau)

_____

_____

_____

_____

UNED PUM DEG PUMP

CYHUDDO, GWADU A DERBYN BAI

A. SEFYLLFAOEDD POSIBL

Cyhuddwch eich partner o un o'r troseddau isod. Mae rhaid i'ch partner wadu neu dderbyn bai. Mae esiamplau i'ch helpu yn adran B, C ac CH.

1. Mae aelod o'r teulu wedi cael crafiad (*scratch*) ar y car newydd.

2. Mae allwedd i sied yr ardd ar goll.

3. Mae rhywun wedi gadael y dril allan yn y glaw.

4. Mae rhywun wedi gadael gât y cae ar agor ac mae'r defaid yn bwyta'r blodau a'r llysiau sydd yng ngerddi pobl.

5. Ych chi wedi sylwi bod cannoedd o falwod yn eich gardd chi a dim un yng ngardd y bobl drws nesa. Ych chi'n meddwl eu bod nhw yn eu taflu nhw i'ch gardd chi.

6. Mae rhywun yn eich pentre yn gadael eu sbwriel yn y cae chwarae. Ych chi wedi dod o hyd i hen fatres, olwyn beic a hen oergell yno.

7. Mae ci yn baeddu (*fouling*) wrth gât eich tŷ chi yn aml. Ych chi'n amau ci rhywun sy'n byw yn y stryd nesa.

8. Roedd ffenest yn agored ac mae rhywun wedi anghofio cau drws caets y bwji. Mae'r bwji wedi mynd.

9. Mae gweithiwr wedi bod yn gwneud job yn eich tŷ chi ac wedi torri fas Ming. Mae e wedi ei roi e'n ôl at ei gilydd.

10. Aethoch chi i'r gwely yn gynnar un noson ac yn y bore gweloch chi bod y tân trydan wedi bod ymlaen drwy'r nos. Roedd y person diwetha i fynd i'r gwely wedi anghofio diffodd y tân.

11. Mae rhywun wedi gadael crys coch sy'n colli lliw yn y peiriant golchi. Ych chi wedi rhoi golchaid gwyn i mewn i'r peiriant ac mae popeth wedi dod allan yn binc.

12. Ych chi wedi bod ar wyliau. Gofynnoch chi i'ch cymydog ddyfrio'r blodau yn y tŷ. Mae golwg druenus (*pitiful*) ar eich planhigion ac mae'n amlwg bod eich cymydog wedi cofio ar y funud ola ac wedi boddi'r planhigion y diwrnod cyn i chi ddod gartre.

145

13. Mae'r person diwetha i fynd i'r gwely wedi anghofio rhoi'r gath allan ac mae hi wedi baeddu yn y tŷ.

14. Ych chi wedi derbyn llythyr personol drwy'r post ac mae'n amlwg bod rhywun wedi ei agor (mewn damwain efallai) ac wedi trio ei gau yn ôl heb ddweud dim byd.

15 Ych chi'n gweithio mewn swyddfa ac mae eich cydweithiwr wedi anghofio rhoi neges ffôn bwysig iawn i chi.

B. CYHUDDO

Yn ni'n gallu cyhuddo drwy wneud gosodiad;

Mae'r pot blodau yma wedi'i dorri.
Mae'r car yma wedi cael crafiad.
Mae'r gath wedi gwneud llanast.
Chaeoch chi mo'r giât.
Anghofioch chi roi'r gath allan neithiwr.
Eich ci chi sy'n baeddu o flaen fy nhŷ i.
Roedd y dril yma'n iawn cyn i chi gael ei fenthyg e.
Chi gollodd yr allwedd/Chi agorodd y llythyr/Ti adawodd y caets ar agor.
Peidiwch â cheisio gwadu/Paid â dweud celwydd.

Weithiau yn ni'n cyhuddo drwy ofyn cwestiwn;

Beth ych chi wedi'i wneud i'r dril yma?
Beth sy'n bod ar hwn?
Chi wnaeth hyn?
Chi sy wedi colli'r allwedd?
Ti agorodd y llythyr 'ma?
Ti oedd y diwetha i fynd i'r gwely neithiwr?
Ti sy biau'r crys coch, on'd i'fe?
Pam na ddwedaist ti?

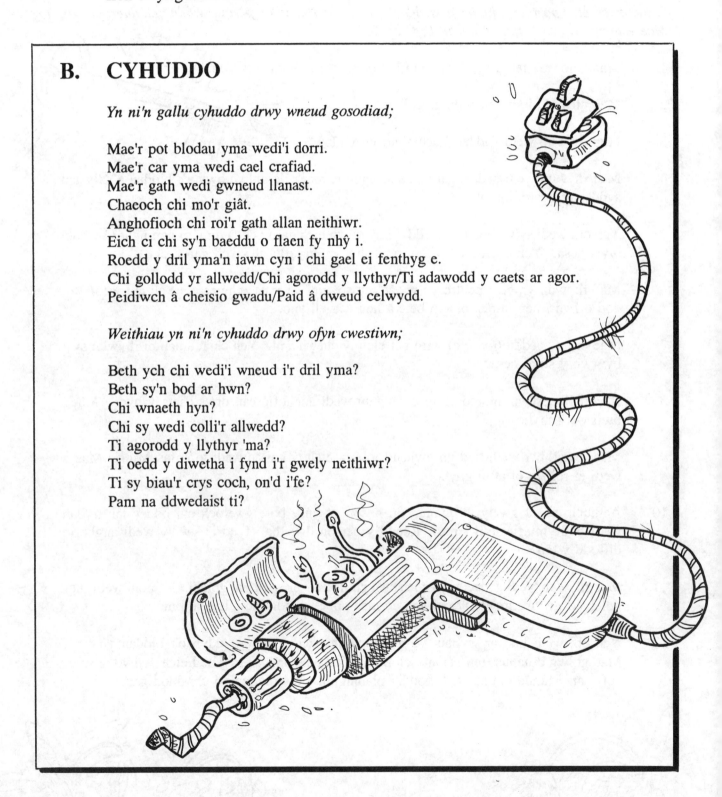

146

C. GWADU

Dim fi wnaeth.
Dim arna i mae'r bai/roedd y bai.
Eich bai chi oedd peidio ag edrych i mewn i'r peiriant golchi yn gynta.
Ti sy wedi gwneud rhywbeth, dim fi./Chi sy ar fai.
Dw i ddim yn gwybod dim am y peth.
Ron i yn America ar y pryd.
Roedd e wedi torri'n barod.
Chyffyrddais i ddim ag e.
Mae e ar goll ers amser.
Wnes i ddim shwd beth!

CH. DERBYN BAI

Fi sydd ar fai/nid chi.
Fe wnaeth.
Mae'n flin gyda fi   – anghofiais i.
Sori,   – roeddwn i'n brysur ar y pryd.
                                  – wnes i ddim meddwl
                                  – roedd rhaid i mi fynd ma's am sbel.
Dylwn i fod wedi dweud yn syth.
Dylwn i fod wedi bod yn fwy gofalus.
Ddylwn i ddim bod wedi colli'r allwedd.
Wnewch chi faddau i mi?
Pryna i un arall i chi.
Ga i dalu am y difrod/y golled?
Wi'n syrthio ar fy mai.
Wi'n cyfaddef taw fi wnaeth.

Geirfa

malwod	–	snails	difrod	–	damage
dyfrio	–	to water	colled	–	loss
cydweithiwr	–	colleague	bai	–	blame
cyffwrdd	–	to touch			

Wi'n syrthio ar fy mai – I admit that I am to blame.
Wi'n cyfaddef taw fi sydd ar fai – I confess/admit that I am to blame

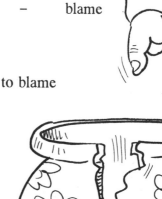

GWAITH CARTREF

Dim ond un gweithgaredd darllen a deall a llenwi'r bylchau y tro hwn.

Mae'r Heddlu yn credu bod y dyn yma wedi dwyn swm sylweddol o arian o fanc yng Nghaerdydd dros y penwythnos. Mae alibi gyda fe ac mae rhaid i chi ei ddarganfod (discover) drwy ddarllen y dystiolaeth (evidence) sydd ar y dudalen nesa.

Mae Mr A. Siencyn yn gorfod ysgrifennu datganiad (*statement*) yn dweud ble roedd e dros y penwythnos. Llenwch y bylchau gan ddefnyddio'r wybodaeth sydd ar y tocynnau a'r talebau (*receipts*) a defnyddiwch ffurfiau cywir y berfau isod.

teithio	**prynu**	**hedfan**	**cael**	**dal**
gweld	**costio**	**aros**	**llogi**	**gyrru**
cyrraedd	**talu**	**mynd**	**dychwelyd**	

Dydd Gwener_____i ar y bws i_____ _____ _____.

_____i dri_____ yn y maes awyr. Wedyn, _____ i

i_____ ar awyren Cwmni Awyrennau Caerdydd. _____i

ginio yn nhy bwyta'r_____ _____ yng Nghaernarfon. Ar ôl cinio

_____ i ffilm yn sinema'r Plaza. _____ fy nhocyn

£_____. _____i yng Ngwesty'r Wylan yn ystafell rhif_____.

Bore dydd Sadwrn _____i gar a _____ i i_____.

_____i flaendal o £_____. Yn y prynhawn _____ i i

bysgota. Gyda'r nos _____i i Gaernarfon. Bore dydd Sul

_____i y 10.55 _____ _____ i Gaerdydd. _____i

yn ôl yng Nghaerdydd am 17.05.

148

Chwiliwch am y dystiolaeth sydd yn y tocynnau a'r talebau canlynol:

UNED PUM DEG CHWECH

YSGRIFENNU LLYTHYRAU

A.   LLYTHYR PERSONOL

Mewn llythyr at ffrind neu berthynas mae'n bosibl dweud unrhyw beth, fel tasech chi'n siarad â fe/hi.   Basai'r geiriau ych chi'n eu dewis yn cyfleu (convey) cynhesrwydd a chyfeillgarwch. Gyda'ch tiwtor a gyda'ch partner edrychwch ar yr enghreifftiau a thanlinellwch y geiriau sy'n gwneud hyn yn eich tyb chi (in your opinion).

1.

18 Pen y Bryn,
Lôn Ucheldre,
Trefoethus.

11eg Gorffennaf 1996

Annwyl Margaret a Huw,

Gair byr i ddiolch yn fawr i chi'ch dau am y croeso gawson ni gyda chi yr wythnos ddiwetha'. Aethoch chi i drafferth mawr i baratoi bwyd i ni (bydd rhaid i mi fynd ati i golli pwysau nawr). Cawson ni i gyd amser bendigedig ac mae'r plant yn dal i siarad am y ceffyl. Diolch am bopeth.

Pryd ych chi'n mynd i ddod i Ben y Bryn i'n gweld ni? Gobeithio byddwch chi'n gallu dod cyn diwedd yr haf? Beth am wythnos ddiwetha' mis Awst cyn i'r plant fynd yn ôl i'r ysgol? Meddyliwch am y peth.

Gobeithio eich bod yn cadw'n iach.

Cofion cynnes, a diolch eto.

Elsie a'r teulu.

2.

Fflat 5,
Y Twr,
Tre Fawr

4ydd Gorffennaf 1996

Annwyl Ceri,

Sut wyt ti, erbyn hyn? – Wedi gwella, gobeithio.

On'd oedd e'n benwythnos da! Mae Iestyn yn trefnu trip arall, i Iwerddon y tro
yma, ar y cyntaf o Fedi ac mae e eisiau gwybod oes diddordeb gyda ti. Gad i mi
wybod yn fuan.

Roedd Eirian ac Angharad wedi mwynhau eu hunain cymaint y tro diwetha nes
eu bod wedi rhoi eu henwau yn barod.

Basai'n braf gweld y bechgyn unwaith eto cyn i bawb fynd yn ôl i'r coleg, on'
basai hi?

Cofia fi at bawb i lawr fanna.

Cofion

Bleddyn

O.N. Mae dy waled di gyda fi

151

B.   Llythyr Ffurfiol

Mae ysgrifennu llythyr ffurfiol yn beth anodd i'w wneud.   Dyw gwybod ble i roi'r dyddiad a'r cyfeiriad ac ati, ddim yn ddigon.   Dylech gynllunio eich llythyr fel bod eich neges yn cael ei chyfleu yn glir.   Mae angen cyflwyno (introduce) ffeithiau mewn trefn y bydd pobl yn gallu ei dilyn ac sy'n mynd o gam i gam.   Mae'n ddefnyddiol meddwl am lythyr ffurfiol fel un sy'n cynnwys dechreuad, corff a diweddglo.

Dyma rai enghreifftiau defnyddiol.   Triwch eu dysgu.

1.   DECHRAU

Annwyl Syr/Fadam/Syr neu Fadam
Annwyl Mr Higginbottom/Mrs Jones
Annwyl Olygydd/Brifathro/Gyfarwyddwr/Gyfaill

(i)   Diolch yn fawr am eich llythyr......
          Diolch yn fawr am y gwahoddiad.......
          Diolch am eich sylwadau (comments) ar......

(ii)   Diolch am eich llythyr, dyddiedig (dated) 24ain Mawrth.....
          Diolch am eich llythyr, dyddiedig 19eg Tachwedd ynglyn â (regarding).....
          Diolch am eich ateb parod (prompt reply) i'm llythyr ynglyn â ......

(iii)   Ysgrifennaf atoch ar ran pobl y pentref i gwyno am.......
          Ysgrifennaf atoch ar ran M.Y.M. i ofyn i chi........
          Ysgrifennaf atoch ar ran y rhieni i fynegi (express) ein
          hanfodlonrwydd (dissatisfaction).............
          Ysgrifennaf atoch ar ran fy nghymdogion i ddatgan (declare) ein cefnogaeth
          i'ch safbwynt ynglyn â ....

(iv)   Rydw i'n deall mai chi sy'n delio â ....
          Rydw i'n deall mai chi yw'r meddyg sy'n delio â materion........

2.   CORFF

Dylai corff y llythyr gynnwys eich neges yn glir. Efallai bydd
yr enghreifftiau canlynol yn ddefnyddiol:

(i)   Mae M.Y.M. yn chwilio am gynorthwyydd (*assistant*) i.......
          Mae'n flin gyda fi orfod ysgrifennu atoch ond mae rhaid i mi gwyno....
          Rydw i'n deall bod diddordeb mawr gyda chi mewn.......
          Rhaid i mi eich hysbysu (*inform*) am y streic hanner dydd gan......

(ii)   Gwahoddwn chi'n gynnes iawn i'n Noson Wobrwyo (*prize giving*)
          a gynhelir (*held*) ar.......
          Basen ni'n falch iawn o weld.......
          Baswn i'n falch tasai modd i chi (*if it would be possible*) ....
          Hoffwn dynnu eich sylw at ....
          Wnewch chi anfon rhagor o fanylion am ....
          Bydd croeso i chi ....
          Wnewch chi roi gwybod i mi cyn gynted â phosibl a oes ....

(iii)   Gwelais eich hysbyseb yn Yr Haul a baswn yn falch tasech chi'n anfon
          rhagor (*more*) o wybodaeth i'r cyfeiriad uchod.
          Ar ôl deall eich bod am adeiladu ffordd newydd drwy'r pentre .....
          Roeddwn yn falch iawn o glywed ......
          Roedd yn wir ddrwg gyda fi glywed ......

3.   DIWEDDGLO

(i)   Bydda i'n edrych ymlaen at glywed gennych.
          Wnewch chi gysylltu â mi cyn gynted â phosibl i gadarnhau'r (*confirm*)
          trefniadau, os gwelwch chi'n dda?
          Llawer o ddiolch am eich cydweithrediad (*co-operation*) parod bob amser.
          Baswn i'n ddiolchgar (*grateful*) o gael ateb gyda throad y post (*return of post*).
          Rydw i'n amgau (*enclose*) amlen wedi'i stampio.
          Edrychaf ymlaen at glywed gennych.

          Yr eiddoch yn gywir,
          Yn gywir,

153

C. *Does dim rhaid i lythyr busnes fod yn hir. Yn aml, os yw'r neges yn uniongyrchol* (direct) *ac yn syml, mae ychydig o baragraffau yn ddigon.*

Edrychwch ar yr enghreifftiau canlynol a thanlinellwch y geiriau sy'n gosod tôn y llythyr.

1.

> Ysgol Pen y Bryn,
> Trefoethus,
>
> Ffôn; 123456
>
> 21ain Tachwedd 1996
>
> Annwyl Mr a Mrs Cadwalader,
>
> Ysgrifennaf atoch ar ran y prifathro i gwyno am eich mab Iestyn.
>
> Bore dydd Mawrth diwetha penderfynodd wyth o fechgyn Dosbarth Pump beidio â mynd i'w gwers Ffrangeg. Aethon nhw allan o'r ysgol ac i mewn i'r dref. Yno buon nhw mewn caffi am hanner awr yn achosi tipyn o drafferth nes i'r perchennog ffonio'r ysgol. Es i i fyny i'r caffi i ddod â'r bechgyn yn ôl i'r ysgol. Roedd eich mab yn un ohonyn nhw.
>
> Hoffwn i chi ddod i ngweld i bore fory am 10.00 o'r gloch i drafod y digwyddiad hwn gyda fi ac i benderfynu ar y gosb. Gobeithio yn wir y bydd hyn yn gyfleus i chi.
>
> Yr eiddoch yn gywir,
>
> J.N. Hughes,
> Dirprwy Brifathro.

Bodlondeb,
Ffordd Llundain,
Pentre Pert,

18fed Chwefror 1996

Mrs Gwenda Lewis,
Canolfan i'r Diwaith
Lôn Llundain
Tre Fawr

Annwyl Gyfaill,

Rydw i'n deall mai chi yw Swyddog Gweithgareddau (*Activities Officer*) Canolfan i'r Di-waith Tre Fawr.

Mae Clwb Cyfeillion Pentre Pert yn chwilio am ganolfan newydd achos mae ein man cyfarfod presennol, Festri Capel Seilo, yn mynd i gael ei dynnu i lawr. Roedden ni'n meddwl efallai y basai Canolfan i'r Di-waith Tre Fawr yn lle addas (*appropriate*). Tasai hi'n bosibl, basen ni'n hoffi cyfarfod bob nos Fercher rhwng 7.00 a 9.00, gan ddechrau ar ddiwedd mis Mawrth.

Wnewch chi roi gwybod i mi (*let me know*) cyn gynted â phosibl oes ystafell ar gael a faint fasai rhaid i ni ei dalu am ddefnyddio'r adeilad? Rydw i'n amgau amlen wedi'i stampio.

Bydda i'n edrych ymlaen at glywed gennych chi, cyn diwedd y mis os yn bosib.

Yn gywir

John Jones.
(Ysgrifennydd Clwb Cyfeillion Pentre Pert)

3. *Ateb i'r llythyr uchod.*

Canolfan I'r Di-waith,
Lôn Llundain
Tre Fawr,

20fed Chwefror 1996

Annwyl Mr Jones,

Diolch am eich llythyr, dyddiedig 18fed Chwefror, ynglŷn â defnyddio Canolfan i'r Di-waith Tre Fawr, fel man cyfarfod i Glwb y Cyfeillion.

Basen ni'n falch iawn o weld eich clwb yn cyfarfod yn y ganolfan, ond yn anffodus, does dim lle ar gael (*available*) ar nos Fercher. Tybed (*I wonder*) fasai hi'n bosibl i chi gyfarfod ar nos Fawrth neu ar nos Iau yn lle hynny? (*instead*) Mae'r ddwy noson yma'n rhydd ar hyn o bryd. Y tâl am ddefnyddio'r ganolfan ydy £5.00 am ddwy awr.

Wnewch chi gysylltu (*contact*) â fi eto cyn gynted â phosibl i gadarnhau'r trefniadau, os gwelwch chi'n dda?

Yn gywir,

Gwenda Lewis
SWYDDOG GWEITHGAREDDAU

CH. Edrychwch ar y siart ac wedyn ysgrifennwch y dyddiadau yn gywir. Bydd eich tiwtor yn eich helpu.

e.e.   04/11/97   4ydd Tachwedd 1997

1.   06/02/97   _____   5.   02/07/97   _____

2.   06/02/97   _____   6.   11/04/97   _____

3.   19/10/97   _____   7.   29/02/97   _____

4.   25/12/97   _____   8.   16/01/97   _____

DYDDIADAU

1	**11**	**21**
y cyntaf	yr unfed ar ddeg	yr unfed ar hugain
2	**12**	**22**
yr ail	y deuddegfed	yr ail ar hugain
3	**13**	**23**
y trydydd	y trydydd ar ddeg	y trydydd ar hugain
4	**14**	**24**
y pedwerydd	y pedwerydd ar ddeg	y pedwerydd ar hugain
5	**15**	**25**
y pumed	y pymthegfed	y pumed ar hugain
6	**16**	**26**
y chweched	yr unfed ar bymtheg	y chweched ar hugain
7	**17**	**27**
y seithfed	yr ail ar bymtheg	y seithfed ar hugain
8	**18**	**28**
yr wythfed	y deunawfed	yr wythfed ar hugain
9	**19**	**29**
y nawfed	y pedwerydd ar bymtheg	y nawfed ar hugain
10	**20**	**30**
y degfed	yr ugeinfed	y degfed ar hugain
		31
		yr unfed ar ddeg ar hugain

Cofiwch

Dydd Sul	Nos Sul	Mis Ionawr	Mis Gorffennaf
Dydd Llun	Nos Lun	Mis Chwefror	Mis Awst
Dydd Mawrth	Nos Fawrth	Mis Mawrth	Mis Medi
Dydd Mercher	Nos Fercher	Mis Ebrill	Mis Hydref
Dydd Iau	Nos Iau	Mis Mai	Mis Tachwedd
Dydd Gwener	Nos Wener	Mis Mehefin	Mis Rhagfyr
Dydd Sadwrn	Nos Sadwrn		

GWAITH CARTREF

Mae amrywiaeth (variety) o weithgareddau yn y gwaith cartref yma. Does dim rhaid i chi eu gwneud nhw i gyd ar yr un pryd.

Naill ai *(either)*

(a)   *Ysgrifennwch ateb i'r llythyr hwn oedd yn eich papur bro yr wythnos ddiwetha':*

Teledu'r Tir
Ffordd y Mynydd
Caernarfon
Gwynedd

Annwyl Gyfaill,

Byddwn ni'n recordio cyfres *(series)* newydd o 'Noson Lawen' i S4C yn ystod yr haf, ac rydyn ni'n chwilio am dalentau newydd i gymryd rhan yn y rhaglen. Fel mae pawb yn gwybod, siwr o fod, mae eitemau o bob math ar 'Noson Lawen' (canu, dawnsio, sgetsys, jôcs, ac ati) ac mae'r rhaglen yn apelio at blant a phobl o bob oed.

Os oes diddordeb gyda chi mewn cymryd rhan yn y rhaglen, neu
os ydych chi'n gwybod am artistiaid addas, wnewch chi ysgrifennu aton ni
cyn gynted â phosibl gyda:

1.   manylion amdanoch chi neu am yr artist(iaid) arall (eraill);

2.   manylion am yr eitem fydd yn cael ei pherfformio yn y gwrandawiad
      (dim mwy na phum munud).

Diolch yn fawr

Yn gywir,

John Phillips

Neu

(b)   *Mae'r bobl drws nesaf yn cynnal parti gwyllt bob nos Sadwrn.*
        Ysgrifennwch lythyr at swyddfa'r cyngor yn cwyno am hyn.

Neu

(c)   *Ych chi wedi cael swydd newydd. Ysgrifennwch lythyr at eich cyflogwr (employer)*
        presennol yn ei hysbysu (notify) y byddwch chi'n gadael.

Neu

(ch)   *Prynoch chi drowsus newydd flwyddyn yn ôl. Wisgoch chi mo'r trowsus. Erbyn hyn, ych*
        chi'n dewach a dyw'r trowsus ddim yn eich ffitio. Dyw'r siop ddim yn fodlon rhoi'r arian
        yn ôl – ysgrifennwch lythyr at y cwmni yn esbonio'r sefyllfa.

UNED PUM DEG SAITH

ADOLYGU

A. *Gyda'ch partner llenwch y bylchau yn y darnau canlynol.*

1. Unwaith, roedd hen wraig yn byw ar ei _____ ei hun _____
bwthyn unig yng _____ (canol) y wlad. Am flynyddoedd lawer, bu
hi a Siôn ei gwr yn byw yno'n hapus, ond tua dwy _____
(blwyddyn) yn ôl bu farw Siôn yn sydyn. Roedd gan Siôn a Siân fab a
merch ond roedd y _____ (2) wedi byw yn Llundain _____
blynyddoedd.

Un diwrnod ysgrifennodd Siân _____ ei merch Elin yn dweud ei
_____ hi'n mynd i werthu'r bwthyn. 'Dw i'n mynd yn _____
(hen) bob blwyddyn ac weithiau mae hi'n unig iawn yma, yn arbennig yn y
gaeaf. Felly dw i'n meddwl symud _____ Lundain er mwyn
_____ yn agosach _____ (at) ti a Dafydd.' _____ Elin
ddim yn meddwl y basai ei mam yn hapus iawn yn byw mewn
_____ fawr. Cafodd hi ei _____ a'i magu yn y wlad.
_____ (penderfynu) Elin ffonio ei brawd ar unwaith a dweud
_____ fe am siarad _____'r hen wraig. Ond hyd yn oed cyn
_____ hi godi'r ffôn roedd hi'n gwybod nad oedd ei mam yn mynd
i _____ ar Dafydd. Hen wraig benstiff oedd Siân!

2. Y llynedd, _____ (dod) Eisteddfod yr Urdd i ardal Abertawe.
_____ (penderfynu) Siôn a Rhiannon Davies a'u dau blentyn,
Rhodri a Llinos, ymweld _____'r maes am ddiwrnod. _____
(codi) nhw'n gynnar y bore yna ac ar ôl _____ (i) nhw gael
brecwast, i ffwrdd _____ nhw yn y car i gyfeiriad y De. Dylai'r
daith gymryd tua _____ (2) awr ac roedd pawb yn edrych ymlaen at
gyrraedd y maes.

"Beth _____'r swn yna?" gofynnodd Rhiannon.
"Dw i'n ofni bod rhywbeth yn bod _____ y car," atebodd Siôn.
Roedd llawer o fwg yn dod o'r injan felly stopiodd Siôn y car ac aeth i
edrych.
"Ga i helpu?" gofynnodd Rhiannon.
"_____ (✓)," meddai Siôn. "Bydd rhaid _____ rywun fynd i
ffonio'r AA, dw i'n credu."
Felly dyma Rhiannon a'r plant yn cerdded i lawr y ffordd i'r pentre
_____ (agos). Ar ôl awr, dychwelodd y tri _____ (o)
nhw i'r car. Roedden nhw'n edrych yn ddiflas.
"_____ (bod)'r AA ddim yn gallu dod am awr o leia," esboniodd ei
wraig.
Tua dau o'r gloch yn y prynhawn, gwelon nhw fan felen yr AA yn nesau.
"O'r diwedd," dywedodd Rhiannon _____ ei gwr.
Pan agorodd dyn yr AA injan y car , gwelodd e ar unwaith beth oedd yn
bod.

"Dw i'n credu _____'r dŵr ydy'r broblem," meddai. "Does dim dwr gyda chi ac mae'r injan wedi mynd yn rhy boeth. Bydd rhaid i ni dynnu'r car i'r garej yn _____ (Treforus)."

Erbyn pump o'r gloch, roedd y car wedi _____ ei drwsio ond roedd y teulu wedi colli'r Eisteddfod. Yn ôl yn y ty, eisteddon nhw i edrych ar y teledu.

"Wel, " gwenodd Siôn, "mae hyn yn _____ (dda) na bod yn y car drwy'r dydd, on'd yw e?"

Ddaeth dim ateb – roedd y teulu i _____ wedi mynd i gysgu!

3. Tua dwy _____ (blwyddyn) yn ôl, ar ôl bod ar gwrs 'Iechyd Da i'r Teulu', _____(dod) fy ngwraig adre a dweud ei bod hi'n hen bryd _____ mi golli tipyn o_____(pwysau).

Fi ydy'r unig un yn y teulu _____ ddim yn cadw'n heini. Mae fy ngwraig yn gallu nofio'n dda iawn, ac mae fy _____ (plant) yn hoff iawn o chwaraeon o bob math. _____ nhw'n treulio _____ hamser rhydd yn y ganolfan hamdden gyda'u ffrindiau bron bob nos.

Felly ar ôl meddwl _____ fy iechyd, penderfynais i ddechrau cymryd diddordeb unwaith eto _____ chwaraeon i ddangos _____ (i) nhw i gyd fy mod i cystal _____ nhw.

Nifer o flynyddoedd yn ôl, pan oeddwn i'n _____ (ysgafn) nag ydw i nawr, roeddwn i'n arfer chwarae pêl-droed _____ fy ysgol. Ond erbyn hyn mae'n well gyda fi rygbi ac felly dyma fi yn penderfynu ymuno _____ chlwb y pentre, i gadw'n heini ac i ddod i nabod y bobl _____ (lleol).

Wel, dyna oedd y syniad. Ond beth_____(digwydd)?

Er fy mod i'n ffit pan _____ i'n ifanc, dim ond un peth sy'n glir i mi nawr wrth eistedd mewn plaster yn y gwely 'ma – dydy fy hen _____ (corff) i ddim _____ ifanc ag roedd e!

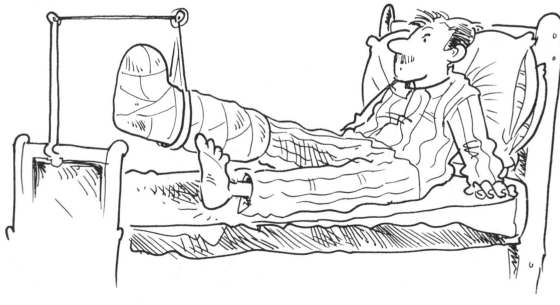

161

B.   Sgwrsio.

1.   *Rhowch gyfweliad i aelod o'r dosbarth. Gofynnwch am un neu gyfuniad* (combination) *o'r pynciau canlynol:*

(a)   ei hanes
(b)   ei deulu
(c)   ei waith
(ch)   yr ardal mae'n byw ynddi
(d)   ei ddiddordebau
(dd)   ei obeithion
(e)   ei brofiadau'n dysgu'r Gymraeg.

2.   **Chwarae rôl.**

Gyda'ch partner dewiswch un o'r tasgau cyfathrebol isod. Partner A sydd i wneud y rhan fwyaf o'r siarad.

Tasg 1.
Mae partner B yn ysgrifennu llyfr ar sut mae arferion dydd Sul wedi newid. Bydd rhaid i chi ddisgrifio beth dych chi'n ei wneud ar ddydd Sul fel arfer, a sut roeddech chi'n arfer treulio eich dydd Sul pan oeddech yn blentyn.

(arfer – *used to*   fel arfer – *usually*)

Tasg 2.
Mae partner B yn golygu'r (*edit*) papur bro lleol. Disgrifiwch rywbeth diddorol a ddigwyddodd yn eich pentre/ardal chi i'ch partner ei roi yn y papur.

Tasg 3.
Dydy partner B ddim yn siwr i ba ysgol mae'n mynd i anfon ei blant e/ei phlant hi. Perswadiwch eich partner i anfon y plant i'r un ysgol â'ch plant chi.

162

C. Llenwi ffurflen

Dych chi wedi ennill saith miliwn ar y Loteri Genedlaethol a dych chi wedi derbyn y ffurflen hon cyn i chi dderbyn y siec, gan fod Cwmni Camelot yn gwneud prosiect ymchwil (research project) *ar enillwyr.*

1. Enw(au) cyntaf _____

2. Cyfenw_____

3. Cyfeiriad_____

4. Rhif Ffôn_____

5. Sut mae ennill y Loteri yn mynd i newid eich bywyd chi a beth fyddwch chi'n   ei wneud â'r arian? (tua 100 o eiriau)

_____

_____

_____

_____

_____

_____

_____

_____

_____

_____

_____

_____

_____

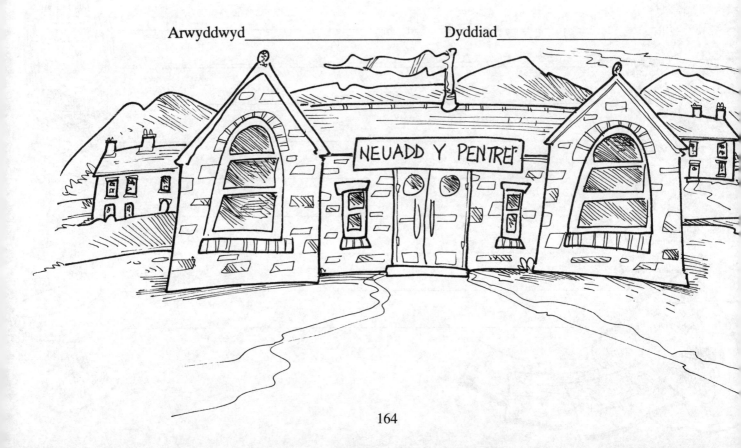

6. Sut dewisoch chi eich rhifau lwcus (30 o eiriau)

_____

_____

_____

_____

_____

_____

7. Yn eich barn chi, pa brojectau neu grwpiau ddylai gael help gan y Loteri (70 o eiriau)

_____

_____

_____

_____

_____

_____

_____

_____

Arwyddwyd_____ Dyddiad_____

CH. *Ymarferwch a thrafodwch y geiriau yn y rhestrau isod gyda'ch tiwtor a gyda'ch grŵp. Edrychwch yn y geiriadur am ystyr y geiriau sy'n newydd i chi a chynlluniwch frawddegau yn eu cynnwys. Pa eiriau sy'n berthnasol i chi? Wedyn defnyddiwch y geiriau yn y gweithgareddau 'Taflu Dis' a 'Chwilio Geiriau' sy'n dilyn.*

1. Teulu

merch–yng–nghyfraith	mam–yng–nghyfraith	wyr
ewythr	tadcu (taid–gog.)	chwaer
cyfnither	mamgu (nain–gog.)	mab
nith	cefnder	merch
partner	gŵr	mamfaeth
ffrind	gwraig	tadmaeth
brawd	tad	llyschwaer
mab–yng–nghyfraith	mam	llysdad
modryb	nai	wyrion
cymydog	cariad	babi
mamgu	cydweithiwr	meddyg
tadcu	wyres	bos

2. Diddordebau a hobïau

gwnïo	cadw'n heini	pysgota
canu	garddio	darllen
natur	barddoniaeth	arlunio
posau	saethu	casglu stampiau
nofio	dringo	carioci
gwylio adar	merlota	coginio
cerdded y mynyddoedd	hwylio	beicio
ieithoedd	teithio	rhedeg
dawns	paragleidio	hanes
rasio	cyfrifiaduron	chwarae pêl-droed
gweu	golff	

3. Y Tywydd

gorllewin	cymylau	de
dadmer	dwyrain	daeargryn
cymedrol	ysbeidiau heulog	uchafbwynt
llifogydd	gwyntoedd cryfion	mellt
llanw	tymheredd	rhewbwynt
trwm	taranau	arfordir
gororau	stormydd	glaw mân
gradd	gwasgedd isel	trymaidd
niwl	uchel	haf bach Mihangel
gogledd	cyfandir	canolbarth
clòs	cryf	tew
corwynt	poeth	oer

4.   Swyddi

prif weinidog	glöwr	gyrrwr
cyfreithiwr	clerc	prifathrawes
swyddog	darlithydd	crydd
rheithgor	chwaer	cofrestrydd
peilot	cynorthwyydd	ficer
optegydd	arweinydd	athrawes
trefnydd	bardd	gwraig ty
athro	morwr	arlywydd
brici	swyddog prawf	porthor
cyfrifydd	gwleidydd	amaethwr
llyfrgellydd	bargyfreithiwr	milwr
nyrs	meddyg	barnwr

Nawr rhowch gynnig ar 1 neu fwy o'r gweithgareddau:

TAFLU DIS

Mewn grwp o 3 neu 4 taflwch y dis mewn tro. Rhaid i chi ddweud rhywbeth sy'n gysylltiedig â'r testun a nodir gyferbyn â'r rhif ar y siart isod.

⚅ (6)	PASIWCH !
⚄ (5)	TEULU
⚃ (4)	GWAITH
⚂ (3)	DIDDORDEBAU
⚁ (2)	Y TYWYDD
⚀ (1)	RHYWBETH DIDDOROL

166

CHWILIO GEIRIAU

Rhowch gynnig ar 1 neu fwy o'r posau isod.

TEULU

R	E	D	N	F	E	C	T	A	R	E	N	T	R	A	P
W	LL	Y	S	CH	W	A	E	R	B	C	M	CH	N	I	TH
G	Y	DD	A	I	R	A	C	CH	W	A	E	R	DD	C	
E	S	F	M	D	FF	N	A	I	G	NG	B	M	A	M	Y
H	D	I	T	A	D	M	A	E	TH	L	A	LL	M	N	F
R	A	O	P	PH	B	O	S	R	RH	M	S	N	A	I	N
W	D	I	B	A	B	Y	W	T	Y	TH	E	U	W	Y	I
I	FF	M	E	R	CH	Y	NG	NG	H	Y	F	R	A	I	TH
TH	A	R	A	B	R	C	NG	NG	CH	D	G	TH	CH	DD	E
I	E	W	I	E	F	H	FF	G	H	W	NG	Y	H	I	R
E	D	L	S	N	Y	LL	M	N	O	Y	P	W	DD	PH	R
W	RH	S	M	F	D	T	TH	U	W	R	F	E	Y	E	A
D	G	W	R	A	I	G	B	C	CH	B	Y	R	D	O	M
Y	D	A	T	D	M	A	M	F	A	E	TH	DD	A	A	F
C	I	FF	G	NG	H	G	O	D	Y	M	Y	C	I	I	L
TH	N	O	I	R	Y	W	U	C	D	A	T	LL	M	N	TH

167

DIDDORDEBAU A HOBIAU

C	B	A	Y	D	W	U	C	C	CH	TH	O	I	N	W	G
R	R	RH	S	A	T	C	A	D	W	N	H	E	I	N	I
PH	U	P	O	R	N	N	S	M	A	T	O	G	S	Y	P
TH	G	T	NG	LL	U	H	G	A	R	DD	I	O	I	L	LL
E	FF	F	A	E	E	DD	L	W	A	D	CH	L	N	C	C
A	R	L	U	N	I	O	U	TH	E	A	S	FF	O	A	B
I	TH	U	W	Y	U	A	S	O	P	U	A	NG	F	R	R
N	T	M	E	R	L	O	T	A	E	S	I	RH	I	I	A
O	I	N	I	G	O	C	A	P	L	R	PH	R	O	O	D
DD	E	O	DD	Y	N	Y	M	Y	D	E	DD	R	E	C	A
R	O	I	L	Y	W	H	P	O	R	B	E	I	C	I	O
A	H	O	I	L	I	E	I	TH	O	E	DD	LL	S	M	I
B	O	I	TH	I	E	T	A	G	E	D	E	RH	N	N	L
NG	G	S	E	N	A	H	U	FF	D	F	E	DD	W	D	Y
B	C	A	CH	O	I	D	I	E	L	G	A	R	A	P	W
N	O	R	U	D	A	I	F	I	R	F	Y	C	D	A	G

TYWYDD

A	B	D	N	I	A	R	Y	W	D	A	D	M	E	R	E
G	W	A	S	G	E	DD	I	S	E	L	C	CH	L	N	D
O	D	E	T	L	DD	S	O	D	M	T	LL	E	M	O	N
L	E	A	O	A	C	F	LL	A	N	W	NG	G	P	I	I
U	C	R	R	W	E	T	R	Y	M	A	I	DD	W	F	W
E	A	G	M	M	C	D	W	E	H	N	F	L	M	Y	E
H	N	R	Y	A	P	R	LL	I	F	O	G	Y	DD	R	LL
U	O	Y	DD	N	O	U	M	A	PH	C	T	CH	C	C	R
A	L	N	U	C	U	CH	A	F	B	W	Y	N	T	DD	O
I	B	E	F	A	A	E	U	A	L	Y	M	Y	C	E	G
D	A	W	S	B	R	L	J	C	O	PH	H	TH	E	O	P
I	R	G	F	H	LL	O	L	A	B	C	E	CH	G	T	D
E	TH	A	A	R	F	O	R	D	I	R	R	L	O	N	I
B	H	F	FF	Y	S	NG	L	O	R	D	E	M	Y	C	H
S	T	A	R	A	N	A	U	P	G	DD	DD	R	PH	W	A
Y	W	C	M	W	R	T	N	Y	W	B	W	E	RH	G	E

169

TEULU

DIDDORDEBAU A HOBIAU

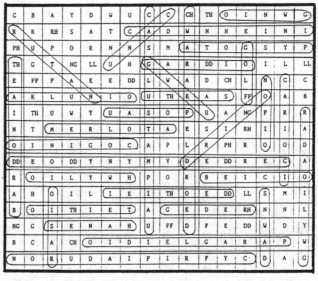

TYWYDD

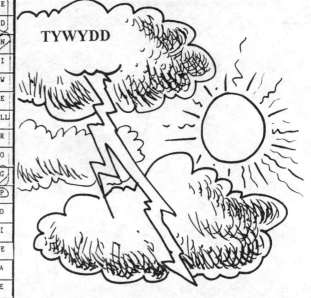

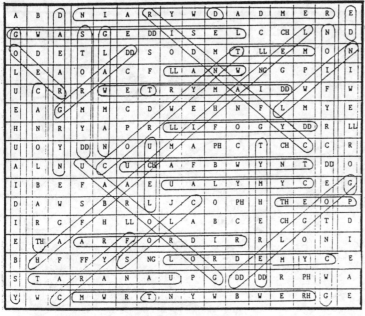

UNED PUM DEG WYTH

ATODIAD 1
YMARFERION GWRANDO

Gellir defnyddio'r ymarferion isod o dro i dro yn ystod y cwrs er mwyn ymarfer gwrando a deall. Gwrandewch ar eich tiwtor, neu ar dâp os yn bosibl, ac atebwch y cwestiynau ar y diwedd.

Ymarfer 1 – CERDDED DROS Y PLANT

Ers blwyddyn, bellach, mae Mr Huw Jenkins wedi bod yn paratoi ar gyfer taith arbennig iawn – mae e'n mynd i gerdded o un pen o Ewrop i'r llall er mwyn codi arian i Blant mewn Angen. Mae'r deintydd, o Bontardawe'n wreiddiol, eisoes wedi cerdded o Land's End i John O'Groats ac o Hamburg i Athen i godi arian i achosion da ac mae pobl Aberystwyth a'r cylch yn gyfarwydd â gweld ei enw yn y papur newydd am ei waith dros Barnardo's ac Oxfam. Aeth ein gohebydd, Gwyneth Bevan, i siarad â Huw yn ei gartre yn y dre.

$* *$

GB: Huw, sut dechreuodd y diddordeb yma mewn cerdded i godi arian?

HJ: Dw i'n cofio mynd ar daith gerdded noddedig yn yr ysgol pan oeddwn i'n fachgen i godi arian i brynu bws mini. Roedd rhaid i ni gerdded tua 15 milltir a mwynheuais i'n fawr. Wedyn, pan oeddwn i yn y Coleg ym Mangor, ymunais i â'r clwb cerdded yna a mynd ma's i'r mynyddoedd yn aml.

GB: Beth am y daith wnaethoch chi o Land's End i John O'Groats?

HJ: Mae ffrind gyda fi sy'n gweithio i Barnardo's a gofynnodd hi i fi a faswn i'n fodlon gwneud y daith i'w helpu nhw. Cytunais i a llwyddais i i orffen y daith mewn llai na mis – wedi blino'n fawr ac wedi gwisgo mwy na deg pâr o esgidiau ar y ffordd. Codais i dros dair mil o bunnau ar y daith yna.

$* * * * * * * * * * * * * * * * * *$

GB: Pryd byddwch chi'n mynd ar eich taith nesaf?

HJ: Wel, yn y gwanwyn mae'n debyg. Bydda i'n hedfan i lawr i'r Algarve yn Ne Portiwgal ac yn cerdded trwy Sbaen a Ffrainc ac ymlaen nes i mi gyrraedd Rwsia. Y broblem fwya ar y dechrau, wrth gwrs, fydd y gwres. Dw i'n cofio cerdded i Athen ym mis Gorffennaf ac roeddwn i'n blino mwy yn y tywydd crasboeth yna nag yn yr oerfel yng Ngogledd Ewrop.

GB: Faint o arian dych chi'n gobeithio ei godi?

HJ: Dw i wedi codi dros £30,000 yn barod i Blant mewn Angen ond dyw hi ddim yn rhy hwyr i bobl ffonio i gynnig arian!

GB: Huw – pob lwc i chi ar y daith a gobeithio y byddwch chi'n llwyddo i gyrraedd eich targed a mwy.

1.   Beth ydy gwaith Huw Jenkins?

2.   Pam mae ei enw fe yn y papurau newydd yn aml?

3.   Ym mha dref mae Huw yn byw?

* * * * * * * * * * * * * * * * * *

4.   Beth oedd pwrpas y daith gerdded gynta?

5.   Beth wnaeth Huw yn ei amser hamdden yn y coleg?

6.   Faint o amser gymerodd Huw i gerdded i John O'Groats?

7.   Faint o arian gododd Huw ar ei daith gerdded o Land's End?

* * * * * * * * * * * * * * * * *

8.   Mewn beth y bydd Huw yn teithio i'r Algarve?

9.   Sut mae'r tywydd poeth yn effeithio ar Huw?

10.   Sut mae'n bosibl i bobl roi arian nawr?

Bwletin Newyddion 1

Dyma'r Newyddion

1.   Llosgwyd ffatri ddillad yn Llandrindod am yr ail dro neithiwr. Bu'n rhaid galw ar bmp injan dân o dair sir i ddod i ddiffodd y fflamau.

2.   Cafodd cant o weithwyr yng nghwmni 'Cheese Please' ger Bangor wybod heddiw fod y ffatri'n mynd i gau. Dywedodd y cwmni y bydd hanner y gweithwyr yn cael swyddi yn eu ffatri arall ger Dagenham.

3. Newyddion tramor nesa. Mynd o ddrwg i waeth mae'r sefyllfa yng ngogledd Ethiopia. Mae pethau'n ddrwg iawn yn yr ardal, am nad oes lorïau bwyd wedi gallu cyrraedd yno ers pythefnos.

4. Mae gŵr a gwraig o Gymru'n dal ar goll yn Nwyrain Twrci. Roedd y ddau wedi mynd i dynnu lluniau yn yr ardal, cyn iddyn nhw ddiflannu yr wythnos diwetha.

5. Yn ôl yng Nghymru, cafodd dyn ei anafu y bore 'ma ar ôl i'w awyren daro yn erbyn craig ger mynydd Epynt. Credir bod y peilot wedi torri ei ddwy goes.

6. Bu rhieni a phlant mewn protest y tu allan i ffatri 'Nor-Chem' ger Bae Colwyn heddiw. Dywedodd llefarydd ar ran y cwmni nad oedd y ffatri'n peryglu iechyd y cyhoedd o gwbl.

7. Bydd ysgol Aberwylan yn cau y flwyddyn nesaf, er gwaethaf ymgyrch gan y rhieni i'w chadw ar agor. Dim ond deg o blant sydd yno ar hyn o bryd, ac mae angen gwario llawer o arian ar yr adeiladau sydd mewn cyflwr difrifol.

8. Daeth yr awdur enwog Frederick Hughes ar ymweliad â'i ardal enedigol sef Aberystwyth heddiw. Mae ei lyfr diweddaraf 'Born to Die' yn cael ei ffilmio gan S4C ar hyn o bryd.

9. Chwaraeon. Methodd yr athletwr o Abertawe, Tony Jackson, ag ennill y ras wyth can medr yn Llundain ddoe. Dywedodd Jackson ei fod e'n flinedig ar ôl rasio yn yr Almaen y diwrnod cynt.

10. A'r tywydd i gloi. Bydd y gwynt a'r glaw sydd wedi achosi trafferthion yn para am ddiwrnod neu ddau eto, ond bydd hi'n fwynach ac yn sychach erbyn diwedd y penwythnos.

A dyna'r newyddion.

1. Beth sy'n profi (*prove*) bod y tân yn fawr?

2. Faint o weithwyr 'Cheese Please' fydd yn gorffen eu gwaith gyda'r cwmni?

3. Pryd cyrhaeddodd y lorïau bwyd diwetha?

4. Beth oedd y ddau'n ei wneud yn Nhwrci?

5. Sut digwyddodd y ddamwain ger mynydd Epynt?

6. Pam mae rhieni ardal Bae Colwyn yn poeni?

7. Rhowch ddau reswm pam mae Ysgol Aberwylan yn cael ei chau.

8.   Beth sy'n digwydd i lyfr newydd Frederick Hughes?

9.   Beth oedd rheswm Tony Jackson dros golli'r ras?

10.   Sut bydd y tywydd nos Sul?

Ymarfer 2 – ROBERT MORGAN, CRICEDWR

Er bod y tymor criced wedi gorffen ers rhai misoedd, mae Robert Morgan wrthi'n brysur yn ysgrifennu llyfr ar hanes criced ym Morgannwg. Mae e'n gobeithio gweld y llyfr yn y siopau erbyn y Nadolig. Bachgen o Gastell–nedd yw Robert ac yn gricedwr proffesiynol er 1992. Cyn hynny, buodd e'n athro ymarfer corff. Mae Robert, wrth gwrs, yn un o sêr tîm criced Morgannwg ac mae e wedi ymuno â ni i siarad tipyn amdano'i hunan.

* *

Pryd dechreuoch chi chwarae criced?

Pan oeddwn i'n blentyn bach yn yr ysgol. Hefyd, yn ddeg oed, dechreuais i chwarae i Glwb Abertawe. Roeddwn i'n chwarae ddwy noson yr wythnos a phob p'nawn Sadwrn hefyd.

Oedd criced yn gêm boblogaidd gartre?

Nac oedd, a dweud y gwir. Roedd llawer iawn mwy o ddiddordeb 'da fy ffrindiau mewn rygbi.

Enilloch chi wobrau pan oeddech chi yn yr ysgol?

Do. Yn 1984 enillais i wobr Chwaraewr Ifanc y Flwyddyn ym Morgannwg. Daeth yr arian ges i fel gwobr yn ddefnyddiol iawn i brynu offer chwarae criced.

Dych chi wedi cael cyfle i deithio llawer wrth chwarae criced?

Ydw. Y llynedd, es i allan yn y gwanwyn i Dde Affrica a Zimbabwe. Yn y flwyddyn newydd, dw i'n gobeithio mynd i Bermiwda am fis a chael gwyliau yno'r un pryd.

* *

Beth ydy diwrnod gwaith arferol?

Cyrraedd y cae erbyn 9.00 ac yna ymarfer am ddwy awr cyn i'r gêm ddechrau. Mae gêmau yn gorffen am 6.30pm.

Oes na bethau arbennig dych chi'n gwneud cyn gêm bwysig?

Oes. Y pad chwith bydda i'n roi ymlaen gyntaf bob amser pan dyn ni'n batio, gan fod hynny'n dod â lwc i mi.

A beth ydy gobeithion tîm Morgannwg ar gyfer y tymor nesaf?

Ar ôl colli yn y rownd derfynol y llynedd dyn ni'n gobeithio ennill y Cwpan y tymor nesaf.

1.   Llyfr am beth mae Robert Morgan yn ei ysgrifennu ar hyn o bryd?

2.   Pryd bydd pobl yn gallu prynu'r llyfr?

3.   Beth oedd gwaith Robert cyn dechrau chwarae criced yn broffesiynol?

* *

4.   Sawl gwaith yr wythnos roedd Robert yn chwarae criced pan oedd e'n blentyn?

5.   Sut roedd Robert yn wahanol i'w ffrindiau?

6.   Beth wnaeth Robert â'r arian enillodd e fel gwobr?

7.   Ble bydd e'n cael gwyliau y flwyddyn nesaf?

* *

8.   Faint o'r gloch mae'r gêm griced yn dechrau?

9.   Beth sy'n dod â lwc i Robert?

10.   Sut gwnaeth Morgannwg yn y Cwpan y llynedd?

Bwletin Newyddion 2

Mae'n wyth o'r gloch. Dyma'r Newyddion.

1.   Mae Tîm Achub Eryri wedi bod allan drwy'r nos yn chwilio am ddau fachgen a thair merch sydd ar goll ar yr Wyddfa ers bore ddoe. Mae'r eira trwm yn gwneud gwaith y tîm achub yn beryglus iawn.

2.   Aethpwyd â gyrrwr car i'r ysbyty yn Aberystwyth yn gynnar y bore 'ma yn dioddef o anafiadau difrifol ar ôl i'w gar adael y ffordd a disgyn i mewn i gae y tu allan i'r dref. Hyd yn hyn nid yw'r heddlu wedi enwi'r gyrrwr.

3.   Dinistriwyd rhan o ysgol gynradd yng Nghaerdydd neithiwr. Gwelwyd y tân gan gymdogion tua deg o'r gloch a dywed yr heddlu eu bod yn awyddus i holi dau lanc tua phymtheg oed a oedd ger yr ysgol.

4.   Cyhoeddwyd y bydd Cwmni Sidan yn diswyddo hanner cant o'u gweithwyr yng Nghaerfyrddin ar ddiwedd y mis. Pan agorwyd y Cwmni gyntaf ym 1984 roedd cant ac ugain o bobl yn cael eu cyflogi yno i wneud dillad merched.

5.   Mae pâr priod chwe deg saith oed o Bowys yn dathlu ennill hanner miliwn o bunnau ar y pyllau pêl-droed. Maen nhw am wario peth o'r arian ar ymweld â'u mab a symudodd i Ganada chwarter canrif yn ôl.

6.   Anfonwyd gwr a gwraig i'r carchar am gyfnod o ddwy flynedd gan Lys y Goron yn Abertawe heddiw am ddwyn pum mil o bunnau o glwb yn y dref. Roedd y ddau yn stiwardiaid yn y clwb a chafodd yr arian ei ddwyn dros gyfnod o ddeunaw mis.

7.   Yng nghynhadledd pensiynwyr Cymru ym Mhorthcawl, galwodd y Cadeirydd ar y llywodraeth i roi mwy o arian i'r henoed. Mae llawer o hen bobl yn marw yn ystod y gaeaf oherwydd eu bod nhw ddim yn gallu fforddio gwresogi eu tai.

8.   Roedd dau gant o bobl mewn cyfarfod protest yn Wrecsam neithiwr yn erbyn bwriad dyn busnes lleol i gynnal cyngerdd pop ar gae pêl-droed y dref. Mae pobl y dref yn ofni y bydd y cyngerdd yn denu pobl a fydd yn gwerthu cyffuriau ac yn meddwi.

9.   Fydd Jac Puw ddim yn nhîm rygbi Cymru i wynebu Ffrainc ym Mharis wythnos i yfory. Torrodd ei fraich ddoe pan gafodd ddamwain ar gefn ei feic a cholli cyfle i ychwanegu at ei ugain o gapiau.

10.   Ac yn olaf y tywydd. Bore yfory bydd yn sych ledled Cymru ond bydd glaw yn lledu'n gyflym o'r De yn y prynhawn a chyrraedd y Gogledd erbyn nos.

A dyna ddiwedd y Newyddion.

1.   Faint o bobl sydd ar goll?

2.   Ble roedd y car ar ôl y ddamwain?

3.   Pwy welodd y tân gyntaf?

4.   Faint o bobl oedd yn gweithio i'r Cwmni ar y dechrau?

5.   Pam mae dau berson o Bowys eisiau mynd i Ganada?

6.   Pam roedd y ddau yn y llys?

7. Beth mae Cadeirydd y pensiynwyr am i'r llywodraeth ei wneud?

8. Pam mae'r bobl leol yn erbyn y cyngerdd pop?

9. Pam na fydd Jac Puw yn chwarae dros Gymru ym Mharis?

10. Pa ran o Gymru fydd yn cael y tywydd gorau yn y prynhawn?

Ymarfer 3 – Y SGWÂR WAED

Dros yr haf y llynedd buodd Cwmni'r Afon yng Nghaernarfon yn gwneud ffilm o'r enw
Y Sgwâr Waed. Dangoswyd hi am y tro cyntaf ym mis Ionawr eleni yn yr Wyl Ffilmiau
Genedlaethol yn Aberystwyth. Mae Dafydd Richards wedi ennill gwobr prif actor y flwyddyn
am chwarae rhan y bocsiwr yn y ffilm a hynny mewn cystadleuaeth yn erbyn actorion fel Syr
Anthony Hopkins. Mae Dafydd wedi dod aton ni i'r stiwdio i sôn ychydig am y ffilm.

Yn gynta, Dafydd, oeddech chi'n gwybod ymlaen llaw taw chi oedd wedi ennill gwobr
y prif actor?

Oeddwn, roeddwn i wedi cael llythyr fis cyn y seremoni'n dweud mod i ar y rhestr fer
ac fe ges i alwad ffôn 'mhen ychydig ddyddiau wedyn yn dweud taw fi oedd wedi ennill.

* * * * * * * * * * * * *

Wnaeth ennill y wobr lot o wahaniaeth i'ch gyrfa fel actor?

Naddo, a dweud y gwir, bues i'n ddi–waith am bedwar mis wedi i fi ennill y wobr. Felly
es i ati i ddysgu gyrru lori er mwyn cael gwaith ac ennill ychydig o arian.

Oedd rhaid i chi wneud lot o ymarfer er mwyn chwarae rhan bocsiwr yn y ffilm?

Bues i'n ymarfer am ddau fis, dau sesiwn y dydd cyn dechrau ffilmio. Rhedeg yn y wlad
yn y bore a chodi pwysau yn y ganolfan hamdden yn y prynhawn.

* * * * * * * * * * * * *

Yn y ffilm dych chi'n chwarae rhan cymeriad o'r enw Emyr. Dywedwch dipyn o'i hanes.

Ffermwr yw Emyr sy'n bocsio'n ei oriau hamdden a dyw ei rieni ddim yn fodlon ei fod
yn bocsio.

Faint o amser gymerodd hi i chi ffilmio Y Sgwâr Waed?

Dechreuon ni ar y cyntaf o Fai a taswn i ddim wedi torri fy mraich, basen ni wedi gorffen
erbyn canol Mehefin. Yn anffodus, achos y ddamwain, orffennon ni ddim tan ddiwedd
mis Tachwedd.

Oedd e'n waith caled?

Dyw dysgu'r geiriau ddim yn waith anodd o gwbl. Y gwaith ffilmio ei hunan sy'n galed
– gorfod mynd drwy'r un olygfa nifer o weithiau er mwyn cael popeth yn iawn.

A beth am y dyfodol?

Dw i'n gwneud cyfres deledu am yrrwr lori ar hyn o bryd a baswn i'n hoffi actio yn y
theatr hefyd.

1.   Ble gwelwyd y ffilm am y tro cyntaf?

2.   Pa wobr enillodd Dafydd Richards?

3.   Sut cafodd Dafydd wybod mai fe oedd wedi ennill y wobr?

* * * * * * * * * * * *

4.   Pam dysgodd Dafydd yrru lori?

5.   Faint o amser fuodd Dafydd yn ymarfer cyn dechrau ffilmio?

6.   Pryd roedd e'n ymarfer yn yr awyr agored?

* * * * * * * * * * * *

7.   Beth oedd teulu Emyr yn ei feddwl ohono'n bocsio?

8.   Pam cymerodd hi lawer o amser i ffilmio'r Sgwâr Waed?

9.   Pa ran o'r gwaith sy'n hawdd i Dafydd?

10.   Beth fasai Dafydd yn hoffi ei wneud yn y dyfodol?

Bwletin Newyddion 3

Mae'n wyth o'r gloch. Dyma'r Newyddion.

1.   Cyhoeddwyd y bydd yn rhaid galw nifer o gleifion yn ôl i Ysbyty Llanaber ar ôl
      camgymeriadau yn y labordy gyda'u profion gwaed. Dywedodd llefarydd y dylai
      unrhywun sy wedi cael prawf gwaed yn ystod y 3 blynedd diwethaf gysylltu â'r ysbyty.

2. Bu damwain ddifrifol ar ffordd osgoi'r Felinheli yn ystod oriau mân y bore. Roedd beic modur a bws mewn gwrthdrawiad a chafodd gyrrwr y beic modur ei ladd. Mae'r heddlu yn apelio am dystion.

3. Mae adroddiadau newydd ddod i law am ddamwain mewn ffair yn Aberheli. Credir bod nifer o bobl wedi eu taflu oddi ar yr olwyn fawr. Does dim mwy o fanylion ar gael ar hyn o bryd.

4. Mae Mr Francis Joyce, yr Aelod Seneddol ers pymtheg mlynedd, wedi cael ei gyhuddo gan bapur newydd o dderbyn y swm o £3,000 am holi cwestiynau yn y Senedd. Disgwylir adroddiad yn nes ymlaen y prynhawn yma gan y Prif Weinidog.

5. Disgwylir Ysgrifennydd Gwladol Cymru i Dde Cymru heddiw i agor canolfan chwaraeon newydd yn Aberdâr. Mae'r ganolfan wedi costio tair miliwn o bunnau ac mae'n cynnig cyfleusterau arbennig i'r anabl.

6. Mae car newydd cwmni Driveway yn cael ei lansio heddiw drwy Brydain. Y Rapido ydy enw'r car ac ar ôl blwyddyn wael iawn y llynedd, mae'r cwmni'n gobeithio y bydd y car yn llwyddiannus ar y farchnad ac yn cadw swyddi dwy fil o weithwyr yn eu ffatrioedd yng Nghymru a'r Alban.

7. Cyrhaeddodd y grwp pop 'Hwrli Bwrli' faes awyr Caerdydd neithiwr. Bydd y pedwar bachgen yn cynnal cyngherddau yn y De yn ystod y mis hwn ac yn symud i ganolfannau yn y Gogledd y mis nesaf.

8. Cyhoeddwyd llyfr coginio heddiw gan Wasg Cymru sef 'Llond Plat'. Yn y llyfr, mae hoff fwyd nifer o Gymry enwog gan gynnwys Anthony Hopkins a Bryn Terfel. Bydd yr holl elw yn mynd i helpu'r digartref yng Nghymru.

9. Yn y byd rasio ceir, enillwyd grand prix Sbaen gan Manuel Blanco. Mewn cynhadledd i'r wasg, dywedodd mai'r prif reswm am ennill y ras oedd cyflymder y tîm yn newid yr olwynion gyda phob stop.

10. Bydd y tywydd braf, clir yn parhau dros y penwythnos gyda'r tymheredd yn codi i ddau ddeg pum gradd Selsiws ymhob man ond ar yr arfordir lle bydd y gwynt yn ysgafn a hynny'n achosi i'r tymheredd ostwng.

1. Beth sy wedi digwydd yn labordy'r ysbyty?

2. Pam nad oedd llawer o bobl wedi gweld y ddamwain?

3. Pam mae Aberheli yn y newyddion?

4. Faint o arian dderbyniodd Mr Joyce yn ôl papur newydd?

5.   Beth sy'n arbennig am y Ganolfan?

6.   Os bydd y car newydd yn gwerthu'n dda, beth fydd yn digwydd?

7.   Ble bydd yr Hwrli Bwrli yn perfformio yn ystod mis Mehefin?

8.   Pwy fydd y llyfr yn eu helpu?

9.   Beth wnaeth y tîm i helpu Manuel i ennill y ras?

10. Pam bydd hi'n oerach ar yr arfordir?

Ymarfer 4 – ENILLYDD Y GADAIR

Yn y rhaglen **Pobl Ddiddorol** heddiw, mae Endaf Hughes yn sgwrsio â Helena Puw wythnos ar ôl iddi hi ennill y Gadair yn yr Eisteddfod Genedlaethol: y ferch gyntaf i wneud hynny.

E.H.   Croeso i'r rhaglen Helena, a llongyfarchiadau mawr ar ennill y Gadair yn Eisteddfod Llandudno.

H.P.   Diolch yn fawr.

E.H.   Ydych chi wedi cystadlu o'r blaen?

H.P.   Enillais i wobr unwaith mewn eisteddfod yn y pentre, ond dw i ddim wedi trio unrhyw beth fel hyn erioed.

E.H.   Roedd ennill yn dipyn o sioc i chi felly?

H.P.   Oedd. Don i ddim yn disgwyl bod yn y Steddfod – ron i wedi trefnu gwyliau yn Ffrainc yr wythnos honno.

* * * * * * * * * * * * * * * * * * *

E.H.   Ac roedd un o'r beirniaid wedi cael sioc hefyd, on'd oedd?

H.P.   Oedd. Buodd John Price yn diwtor arna i yn y coleg am sbel, ac yn ffrind i'r teulu ers blynyddoedd. Doedd e ddim yn gallu credu'r peth!

E.H.   Wel, dwedodd y beirniaid i gyd bethau da iawn am eich syniadau chi, Helena. Dwedon nhw fod eich cerdd yn wahanol. Sut?

H.P.   Bywyd y ddinas sy yn y gerdd. Dw i'n credu bod gormod o bobl yng Nghymru yn ysgrifennu am fyw yn y wlad. Ron i eisiau ysgrifennu rhywbeth mwy modern.

E.H.   Ydych chi'n ysgrifennu o'ch profiad chi eich hunan?

H.P.   Ydw. Bues i'n byw yn Llundain am flwyddyn ar ôl gadael y coleg yn ceisio dod o hyd i waith – ond yn methu. Mae llawer o'r gerdd yn sôn am yr amser hwnnw.

* * * * * * * * * * * * * * * * * * *

E.H.   Yn yr ysgol y dechreuoch chi ysgrifennu?

H.P.   Nage! Roedd yr athro Cymraeg yn anobeithiol! Dim ond copïo o'r bwrdd du ron ni'n ei wneud. Ar ôl gadael yr ysgol y dechreuais i ysgrifennu cerddi. Buodd fy nhad-cu farw pan on i yn y coleg, ac ron i eisiau ysgrifennu rhywbeth i gofio amdano fe.

E.H.   Diddorol iawn. Fasech chi'n cytuno felly bod eich barddoniaeth chi yn besimistaidd ac yn drist, ar y cyfan?

H.P.   Baswn....sy'n rhyfedd achos mod i'n berson eitha hapus wrth natur, dw i'n credu.

E.H.   Dw i'n deall y bydd rhywun yn recordio eich cerdd chi.

H.P.   Gobeithio. Mae'r gantores wych o Fôn, Margaret Williams, yn mynd i ddefnyddio'r geiriau mewn caneuon a'u recordio ar CD arbennig.

E.H.   Dw i'n siwr bod pawb yn edrych ymlaen at eu clywed nhw. Helena Puw, diolch am y sgwrs a llongyfarchiadau unwaith eto.

1.   Pryd cafodd y cyfweliad ei recordio?

2.   Sawl gwaith roedd Helena wedi cystadlu yn yr Eisteddfod Genedlaethol cyn y tro hwn?

3.   Sut dych chi'n gwybod bod ennill y Gadair yn sioc i Helena?

* * * * * * * * * * * *

4.   Sut roedd Helena'n adnabod un o'r beirniaid (*adjuicators*)? Nodwch ddau beth.

5.   Am beth oedd y gerdd (*poem*) yn sôn?

6.   Beth oedd gwaith Helena pan oedd hi'n byw yn Llundain?

* * * * * * * * * * * *

7.   Pam nad oedd hi'n hoffi gwersi ei hathro Cymraeg yn yr ysgol?

8.   Pam dechreuodd Helena ysgrifennu?

9. Pam mae'n od bod Helena'n ysgrifennu pethau trist?

10. Beth fydd yn digwydd i gerdd Helena cyn bo hir?

Bwletin Newyddion 4

Mae hi'n bump o'r gloch a dyma'r newyddion.

1. Daethpwyd o hyd i gorff dyn y bore 'ma yn ardal y dociau, Abertawe. Credir mai Americanwr ydy e a aeth ar goll ar ymweliad â'r ddinas dair wythnos yn ôl.

2. Ymddangosodd dyn o'r Drenewydd yn y llys ar gyhuddiad o achosi tân yn fwriadol mewn siop ddillad yng nghanol y dre yr wythnos diwetha. Anafwyd un wraig yn y tân ac mae hi'n dal i dderbyn triniaeth.

3. Mae'r heddlu'n apelio am dystion i ddamwain gas ar ffordd Cwm–nedd brynhawn ddoe. Bu lori mewn gwrthdrawaid â Volvo glas y tu allan i dafarn y Llew Coch. Dyma'r bumed ddamwain ar y ffordd yma eleni.

4. Newyddion da i ardal y Fflint – bydd cwmni Nippon Tek o Japan yn agor ffatri newydd ar gyrion y dre i gynhyrchu ceir. Y gobaith yw y bydd pum cant o swyddi yn cael eu creu y flwyddyn nesa a mil arall y flwyddyn wedyn.

5. Bu protest o flaen neuadd y sir yn Aberwylan ddoe. Roedd gweithwyr y cyngor eisiau cael codiad cyflog ar ôl gorfod gweithio am fwy o oriau. Ar yr un pryd, roedd disgwyl iddyn nhw golli dau ddiwrnod o wyliau oherwydd problemau ariannol y cyngor.

6. Cafodd tri aelod o Greenpeace eu rhyddhau o garchar Pucklechurch, ger Bryste. Carcharwyd y tair am bythefnos yn wreiddiol, ond fe'u rhyddhawyd ar ôl pum niwrnod.

7. Roedd yr Arena Rhyngwladol yng Nghaerdydd dan ei sang neithiwr wrth i filoedd o bobl ifainc ddod i glywed "Take That" yn rhoi unig gyngerdd y grwp yng Nghymru. Gwerthwyd pob tocyn ar gyfer y noson dros chwe mis yn ôl.

8. Ddoe bu farw'r arlunydd Wyn Richards, o Langollen yn wreiddiol, yn ei fwthyn ym Mhwllheli. Roedd ei luniau'n enwog am ddangos prydferthwch yr ardal lle cafodd ei fagu.

9. Chwaraeon – wedi methu yn eu tair gêm ddiwethaf, bydd yn rhaid i dîm pêl–droed Cymru ennill heno yn erbyn Ffrainc os ydyn nhw eisiau aros yng Nghwpan Ewrop. Doedd y rheolwr, Stan Jones, ddim yn fodlon gwneud unrhyw sylw ar berfformiad ei dîm hyd yn hyn.

10. Ac yn olaf, y tywydd. Bydd yn ddiwrnod braf arall yn y Gogledd ond yn y De bydd yn cymylu yn ystod y prynhawn. Disgwylir glaw ledled Cymru erbyn bore fory.

A dyna'r newyddion.

1.	Pryd daeth yr Americanwr i Abertawe?

2.	Pam roedd y dyn yn y llys?

3.	Sut dych chi'n gwybod bod ffordd Cwm-nedd yn beryglus iawn?

4.	Faint o swyddi newydd fydd yn dod i ardal y Fflint y flwyddyn nesaf?

5.	Rhowch un rheswm am y brotest o flaen neuadd y sir ddoe.

6.	Am faint fu'r merched yn y carchar?

7.	Faint o weithiau fydd 'Take That' yn perfformio yng Nghymru eleni?

8.	Pa ardal sydd yn lluniau Wyn Richards?

9.	Pam mae'n rhaid i Gymru ennill yn erbyn Ffrainc?

10.	Sut bydd y tywydd yng Ngogledd Cymru bore fory?

UNED PUM DEG NAW

ATODIAD DAU
GEIRFA AC YMADRODDION

1. GEIRFA

Mae llawer o eiriau defnyddiol yn y rhestrau isod, a lle i chi ychwanegu geiriau hefyd.

A

acen	– accent	anafu	– to injure
achub	– to rescue	annerch	– to address
adnabyddus	– well known	ar goll	– lost
adduned	– resolution	ar y cyfan	– on the whole
addysg	– education	arfau	– arms
aelod	– member	ariannol	– financial
anghydfod	– dispute	awyddus	– keen
ambell	– occasional		

B

bad achub	– lifeboat	brwydro	– to fight
blaenorol	– previous, former	buddsoddi	– to invest
blynyddol	– annual	bwriadol	– intentional
breuddwydio	– to dream	byddin	– army
brwdfrydig	– enthusiastic		

C

corwynt	– hurricane	cyngerdd	– concert
cyd–ddigwyddiad	– coincidence	cymeriad	– character
cyflogi	– to employ	cynnig	– an offer/to offer
cyfres	– series		

CH

D

daeargryn	– earthquake	diodde(f)	– to suffer
damwain	– accident	dirprwy	– deputy
darganfod	– to discover	dirwy(on)	– fine(s)
datblygiad	– development	disgyn	– to fall
dathlu	– to celebrate	diswyddo	– to sack
de	– south	diweddara(f)	– latest
dedfrydu	– to sentence	diweithdra	– unemployment
denu	– to attract	diwydiant	– industry
derbyn	– to receive, to accept	dwyieithog	– bilingual
difrifol	– serious	dwyn	– to steal
difrod	– damage	dwyrain	– east
diffodd	– to extinguish	dyblu	– to double
digwydd	– to happen	dyfodol	– future

E

echdoe	– the day before yesterday	etholiad	– election
estyniad	– extension	euog	– guilty

F

FF

ffin	– border	ffrwydrad	– explosion

G

gogledd	– north	gweddill	– rest/remainder
gorllewin	– west	gwersyll	– camp
graddfa	– scale	gwylwyr y glannau	– coastguards
gwahoddiad	– invitation	gyrru'n wyllt	– to drive
gwas sifil	– civil servant		dangerously

H

helyntion	– troubles	holi	– to ask, to question
hofrennydd	– helicopter		

I

L

LL

lladd	– to kill	lloches	– shelter
llanast	– mess	llog(au) banc	– bank interest rate(s)
llanc(iau)	– youth(s)	llys y goron	– crown court
llawdriniaeth	– surgery	llys ynadon	– magistrates' court
lledled	– throughout	llywodraeth	– government
llefarydd	– speaker		

M

mellten	– lightning bolt	miloedd	– thousands
methu	– to fail		

N

niwl	– fog

O

oherwydd	– because	osgoi	– avoid
olynydd	– successor		

P

parhau	– to continue	Plaid Lafur	– Labour Party
penawdau	– headlines	Plaid y Democratiaid	
penodi	– to appoint	Rhyddfrydol	– the Liberal
perygl	– danger		Democrat Party
Plaid Cymru	– Plaid Cymru	pledio	– to plead
Plaid Geidwadol	– Conservative Party	pythefnos	– fortnight

R

rownd gyn–derfynol – semi–final

RH

S

saethu	– to shoot	sefyllfa	– situation
salwch	– illness	suddo	– to sink

T

taro	– to hit	tridegau	– thirties
terfynol	– final	trwchus	– thick
terfysg	– unrest, riot	tymheredd	– temperature
tomen sbwriel	– rubbish dump/heap	tyst(ion)	– witness(es)
tramor	– foreign, overseas		

TH

U

uchelgais	– ambition	undeb	– union

W

Y

ymchwil	– research	ymosod ar	– to attack
ymddangos	– to appear	ymgyrch	– campaign
ymddiswyddo	– to resign	yn enwedig	– especially
ymgeisydd	– candidate	ysbaid	– period
ymledu	– to spread		

Ansoddeiriau – *gweler Uned 52*

affectionate – cariadus
bad – drwg
bad–tempered – blin
beautiful – hardd/prydferth
big – mawr
boring – diflas
busy – prysur
central – canolog
cheap – rhad
clean – glân
colourful – lliwgar
comfortable – cyfforddus
convenient – cyfleus
courteous – cwrtais
dark – tywyll
dependable – dibynadwy
dirty – brwnt
dry – sych
enchanting – hudol
enormous – anferth
exceptional – eithriadol
expensive – drud
famous – enwog
far – pell
foolish – ffôl
frail – eiddil
friendly – cyfeillgar
full – llawn
funny – doniol
furry – blewog
good – da
graceful – gosgeiddig
greedy – barus
hairy – blewog
heavy – trwm
inquisitive – chwilfrydig
interesting – diddorol
kind – caredig
lazy – diog
light (opp. of dark) – golau
light (in weight) – ysgafn
likeable – hoffus
lively – bywiog

long – hir
luxurious – moethus
merry – llawen
miserable – annifyr
narrow – cul
new – newydd
noisy – swnllyd
old – hen
orderly – trefnus
poor (in quality) – gwael
poor (needy) – tlawd
public – cyhoeddus
quiet – tawel
reasonable – rhesymol
rusty – rhydlyd
sheltered – cysgodol
silly – dwl
slippery – llithrig
small – bach
smelly – drewllyd
smoky – myglyd
sociable – cymdeithasol
soft – meddal
speedy – cyflym
straight – syth
strong – cry(f)
talented – talentog
thin – tenau
thoughtful – meddylgar
tidy – taclus
ugly – salw/hyll
unpleasant – annifyr
untidy – anniben
versatile – amryddawn
weak – gwan
wealthy – cyfoethog
wet – gwlyb
wide – llydan
wild – gwyllt
winding – troellog
young – ifanc (ieuanc)

2. YMADRODDION

Ebychiadau *(exclamations)*

Anghofia i fyth!	– I'll never forget!
Am wn i!	– As far as I know!
Diolch i'r drefn!	– Thank goodness!

Wrth drafod

a dweud y gwir	– to tell (you) the truth/ to be honest
ac ati	– and so on
ac yn y blaen (a.y.y.b.)	– and so on
beth bynnag/fodd bynnag	– at any rate/ anyway
chwarae teg	– fair play (e.e.Chwarae teg iddi hi/iddo fe – to be fair to her/him; give her/him her/his due)
does dim gwadu bod/taw	– there's no denying/doubt that...
dwli	– nonsense!
gwerth chweil	– worthwhile
heb amheuaeth	– without a doubt
heb sôn am...	– not to mention...
hyd yn oed	– even (e.e. Efallai dalia i bysgodyn – neu ddau hyd yn oed!)
hyd yn oed wedyn	– even then
malu awyr/siarad dwli	– to talk nonsense, waffle (e.e. paid â malu awyr!)
nid yn unig	– not only
o leiaf	– at least
os felly...	– in that case...
y rhan fwyaf	– most
yn achlysurol	– occasionally
yn amrywio o ardal i ardal	– varies from area to area
yn ddelfrydol	– ideally
yn ddi-lol	– without fuss
yn gyfan gwbl	– completely
yn hytrach na...	– rather than...
yn ogystal â	– as well as
yr argraff gynta(f)	– the first impression

Wrth ddweud hanes

â'i wyneb i waered	– upside down
byth ers hynny	– ever since then
cystal ag erioed	– as good as ever
eisoes	– already
ers cyn cof	– since time immemorial
ers hynny	– since then
fel arfer/ fel rheol	– usually
tynnu coes	– to tease
y dydd o'r blaen	– the other day
yn anffodus	– unfortunately
yn awr ac yn y man	– now and then
yn enwedig	– especially (e.e. yn enwedig yn y gaeaf – especially in the winter)
yn tindroi	– hesitating
yn y cyfamser	– meanwhile
yn ystod	– during

Wrth fynegi pleser

ofnadwy o falch	– extremely pleased
wrth fy modd	– I'm thrilled/delighted
wrth ei bodd	– she's thrilled/delighted
wrth ei fodd	– he's thrilled/delighted

Wrth bwyso a mesur *(weighing things up)*

yn ddigon buan	– soon enough
yn ddigon da	– good enough
yn ddigon hawdd	– easily/easy enough
yn hen ddigon	– quite enough/ more than enough

deg y cant	– 10%
pymtheg y cant	– 15%
ugain y cant	– 20%
pump ar hugain y cant	– 25%
hanner cant y cant	– 50%
cant y cant	– 100%

unwaith	– once
dwy waith	– twice
tair gwaith	– three times
pedair gwaith	– four times

10 ceiniog yr un	– 10p/pence each
ar un adeg	– at one time
ar unwaith	– at once
ar yr un pryd	– at the same time
o'r un farn	– of the same opinion
o'r un oed	– of the same age
yr un diwetha(f), *g.*	
yr un ddiwetha(f), *b.*	– the last one
yr un ohonyn nhw	– not one of them (e.e. does yr un ohonyn nhw yn siarad Eidaleg)
tro sâl/gwael	– a bad deed/turn
dros dro	– temporary
y tro hwn	– this time
ers tro	– for (h.y. since) some time/a while
y tro cyntaf	– the first time
yr ail dro	– the second time
y trydydd tro	– the third time
y pedwerydd tro	– the fourth time
y tro diwethaf	– the last time
o dro i dro	– from time to time
hyd yn hyn	– up to now
ar hyn o bryd	– at the moment
o hyn ymlaen	– from now on
erbyn hyn	– by now
yma o hyd	– still here
o hyd ac o hyd	– continually
y ddau le	– both places
yr unig le	– the only place
yn y lle cyntaf	– in the first place/ primarily
...y lle dan ei sang	– the place (was) full to overflowing / packed
taswn i yn dy le di	– if I were in your shoes...
yr holl fyd	– the whole world
mae'n holl bwysig	– it's all important
yn hollol!	– exactly!
yn hollol ddwl	– completely silly/ridiculous
yn hollol resymol	– completely reasonable
yn hollol dywyll	– completely dark

Defnyddiwch y geiriau bach...

ar gael	– available
ar agor	– open
ar gau	– closed
ar dân	– on fire
ar bigau'r drain	– on tenter-hooks
ar ddyletswydd	– on duty
y tu ôl	– behind
tu blaen	– in front
tu mewn	– inside
y tu chwith allan	– inside out
tu hwnt	– beyond/extremely (e.e. syml tu hwnt – extremely simple)
mae e o chwith	– it's the wrong way round
o'i go(f)	– mad, off his head
yn ôl yr Heddlu	– according to the police
dro yn ôl	– some time ago
talu yn ôl	– to pay back
y tu ôl ymlaen	– back to front
yn ôl a blaen	– backwards and forwards
yn ôl pob sôn	– according to what everyone says
yn y pen-draw	– eventually/ in the end
cyn pen dim	– in no time at all
pen blaen	– front end
pen ôl	– rear end/backside
o'r naill ben i'r llall	– from end to end
y pen dwfn	– the deep end
y pen bas	– the shallow end
wyneb i waered	– upside-down
yn dal i fynd	– still going/ still plodding on
yn dal i ddysgu	– still learning
(dw i) yn dal i gredu	– (I'm) still battling on
mae'n dal i fod...	– it is still ...

Byddwch yn ddoeth!

diwedd y gân yw'r geiniog	– it all comes down to money
gwell hwyr na hwyrach	– better late than never
rhaid cadw'r ddesgl yn wastad	– we mustn't rock the boat
taw piau hi	– the less said the better
un peth yw priodi, peth arall yw byw	– easier said than done

UNED CHWE DEG

ATODIAD TRI
GRAMADEG

1.   Y Presennol

Brawddeg bositif	Dechrau cwestiwn	Negyddol	Atebion
Wi	Ydw i?	Dw i ddim	Ydw/Nac ydw
(Rydw i)		(Dydw)	
Rwyt ti	Wyt ti?	Dwyt ti ddim	Wyt/Nac wyt
Mae e/hi	Ydy e/hi?	Dyw e/hi ddim	Ydy/Nac ydy
Mae pawb	Ydy pawb?	Dyw pawb ddim	
Yn ni	Yn ni?	Dyn ni ddim	Ydyn/Nac ydyn
(Rydyn)	(Ydyn)	(Dydyn)	
Ych chi	Ych chi?	Dych chi ddim	Ydych/Nac ydych
(Rydych)	(Ydych)	(Dydych)	
Maen nhw	Ydyn nhw?	Dyn nhw ddim	Ydyn/Nac ydyn
		(Dydyn)	

Cofiwch:

(a)   *Byddwch chi'n gweld y ffurfiau sy mewn cromfachau* (brackets) *pan fyddwch chi'n darllen.*

(b)   *Mae'n rhaid dweud* 'Mae Mr a Mrs Huws yn ... '

Dyw hi ddim yn bosib dweud 'Maen Mr a Mrs Huws yn ... '
Dim ond gyda'r gair 'nhw' ych chi'n defnyddio 'maen':

e.e.   Mae Mr a Mrs Huws gartre.
        Maen nhw gartre.

(c)   *Mewn cwestiwn ar ôl 'Ble/Sut/Pam' yn ni'n defnyddio'r canlynol:*

> Sut wi'n dod o hyd i'ch ty chi?
> Ble rwyt ti'n mynd yfory?
> Sut mae e'n dod, ar y trên neu ar y bws?
> Pam mae hi'n dod?
> Ble mae pawb am eistedd?
> Pam yn ni'n disgwyl?
> Ble ych chi'n dysgu Cymraeg?
> Pam maen nhw'n dod yma?

Y rheolau yw:

Ar ôl 'Pryd/Ble/Sut' – **mae** (Ble mae e?)

Ar ôl 'Beth/Pwy/Faint' + *enw/rhagenw* (noun/pronoun) – **yw** (Pwy yw hi?)

Ar ôl 'Beth/Pwy/Faint' + *enw/rhagenw* + *berf* (verb) – **mae** (Beth mae e'n wneud?)

Ar ôl 'Beth/Pwy/Faint' + *(heb enw/rhagenw)* + *berf* (verb) – **sy**(dd) (Beth sy'n bod?)

Ar ganol brawddeg yn dechrau gydag enw (noun):

Positif –	Tiwtor **yw** e.
Cwestiwn –	Tiwtor **yw** e?
Negyddol –	Dim tiwtor **yw** e.

(ch)   *Does dim 'yn' gyda 'wedi'* – Wi wedi bod.

Does dim 'yn' gydag 'eisiau' – Wi eisiau mynd.

(d)   *Mae'n rhaid defnyddio 'yw' ar ôl 'os',* e.e. Os yw hi'n braf. *Mae 'os mae' yn anghywir.*

2. Meddiant (Possession)

Brawddeg bositif	Cwestiwn	Brawddeg negyddol
Mae ci gyda fi	Oes amser gyda fi?	Does dim arian gyda fi
Mae ci gyda ti	Oes amser gyda ti?	Does dim arian gyda ti
Mae ci gyda fe	Oes amser gyda fe?	Does dim arian gyda fe
Mae ci gyda hi	Oes amser gyda hi?	Does dim arian gyda hi
Mae ci gyda pawb	Oes amser gyda pawb?	Does dim arian gyda'r bobl
Mae ci gyda ni	Oes amser gyda ni?	Does dim arian gyda ni
Mae ci gyda chi	Oes amser gyda chi?	Does dim arian gyda chi
Mae ci gyda nhw	Oes amser gyda nhw?	Does dim arian gyda nhw

Ateb: Oes/Nac oes *bob tro*

Cofiwch:

  (a) *Mae'n bosib dweud:* Roedd .... gyda fi
                             Bydd .... gyda fi
                             Basai .... gyda fi

  (b) *Sylwch ar y gwahaniaeth rhwng:*
          'Mae wyth o blant gyda fi' *(I have got eight children)*;
          a
          'Wi'n cael wyth o blant' *(I am getting eight children)*

  (c) *Dyw hi ddim yn bosibl dweud* 'os mae'.
       Mae'n rhaid dweud 'os oes', *e.e.* 'Os oes lle i eistedd'.

3. Yr Amherffaith (The Imperfect tense) – *'I was'*

Brawddeg bositif *(llafar)*	Cwestiwn *(llafar)*	Brawddeg Negyddol *(llafar)*
Ron i	On i?	Don i ddim
Rot ti	Ot ti?	Dot ti ddim
Roedd e/hi/pawb	Oedd e/hi/pawb?	Doedd e/hi/pawb ddim
Ron ni	On ni?	Don ni ddim
Roch chi	Och chi?	Doch chi ddim
Ron nhw	On nhw?	Don nhw ddim

Brawddeg bositif	**Cwestiwn**	**Brawddeg Negyddol**
(pan fyddwch chi'n darllen)	*(pan fyddwch chi'n darllen)*	*(pan fyddwch chi'n darllen)*
Roeddwn i	Oeddwn i?	Doeddwn i ddim
Roeddet ti	Oeddet ti?	Doeddet ti ddim
Roedd e/hi/pawb	Oedd e/hi/pawb?	Doedd e/hi/pawb ddim
Roedden ni	Oedden ni?	Doedden ni ddim
Roeddech chi	Oeddech chi?	Doeddech chi ddim
Roedden nhw	Oedden nhw?	Doedden nhw ddim

Atebion *(llafar)*	**Atebion**
	(pan fyddwch chi'n darllen)
On/Nac on	Oeddwn/Nac oeddwn
Ot/Nac ot	Oeddet/Nac oeddet
Oedd/Nac oedd	Oedd/Nac oedd
On/Nac on	Oedden/Nac oedden
Och/Nac och	Oeddech/Nac oeddech
On/Nac on	Oedden/Nac oedden

Ar ôl Ble/Sut/Pryd/Pam ar lafar byddwch chi'n clywed:

> 'Ble och chi'n byw?'
> 'Pam oedd e'n hwyr?'
> 'Sut oedd y tywydd?'
> 'Pryd oedd y cyfarfod?'

– ond ar bapur byddwch chi'n gweld:

> 'Ble roeddech chi'n byw?'
> 'Pam roedd e'n hwyr?'
> 'Sut roedd y tywydd?'
> 'Pryd roedd y cyfarfod?'

4. Y Gorffennol (Simple past tense) – Afreolaidd (Irregular)

GWNEUD

Brawddeg bositif	Cwestiwn	Brawddeg Negyddol
Gwnes i	Wnes i?	Wnes i ddim
Gwnest ti	Wnest ti?	Wnest ti ddim
Gwnaeth e	Wnaeth e?	Wnaeth e ddim
Gwnaeth hi	Wnaeth hi?	Wnaeth hi ddim
Gwnaeth pawb	Wnaeth pawb?	Wnaeth pawb ddim
Gwnaethon ni	Wnaethon ni?	Wnaethon ni ddim
Gwnaethoch chi	Wnaethoch chi?	Wnaethoch chi ddim
Gwnaethon nhw	Wnaethon nhw?	Wnaethon nhw ddim

Atebion: *Do/Naddo bob tro*

MYND	CAEL	BOD	DOD
Es i	Ces i	Bues i	Des i
Est ti	Cest ti	Buest ti	Dest ti
Aeth e/hi	Cafodd e/hi	Buodd e/hi	Daeth e/hi
Aeth y plant	Cafodd y plant	Buodd y plant	Daeth y plant
Aethon ni	Cawson ni	Buon ni	Daethon ni
Aethoch chi	Cawsoch chi	Buoch chi	Daethoch chi
Aethon nhw	Cawson nhw	Buon nhw	Daethon nhw

Y Gorffennol (Simple past tense) – Rheolaidd (Regular)

Ychwanegu terfyniad:

	Brawddeg bositif
–ais i	Darllenais i
–aist ti	Darllenaist ti
–odd e/hi/y plant	Darllenodd e/hi/y plant
–on ni	Darllenon ni
–och chi	Darllenoch chi
–on nhw	Darllenon nhw

Cwestiwn: *Treiglad meddal ar y dechrau:*

Ddarllenaist ti bapur newydd ddoe?
Brynaist ti bapur newydd ddoe?
Gofiaist ti brynu papur newydd ddoe?
Dalaist ti am y papur newydd ddoe?

Ffurfio bôn: aros – arhos + terfyniad – arhosais i
anghofio – anghofi + terfyniad – anghofiais i
bwyta – bwyt + terfyniad – bwytodd e
breuddwydio – breuddwydi + terfyniad – breuddwydiodd hi
cerdded – cerdd + terfyniad – cerddon ni
cofio – cofi + terfyniad – cofioch chi
cytuno – cytun + terfyniad – cytunon nhw
dweud – dwed + terfyniad – dwedais i
gweld – gwel + terfyniad – gwelaist ti
gwrando – gwrandaw + terfyniad – gwrandawodd e
meddwl – meddyl + terfyniad – meddyliodd hi
mwynhau – mwynheu + terfyniad – mwynheuodd y teulu
penderfynu – penderfyn + terfyniad – penderfynon ni
rhedeg – rhed + terfyniad – rhedoch chi
yfed – yf + terfyniad – yfon nhw

Y Negyddol:

Treiglad Llaes
{
t – talu   – Thaliais i ddim
c – cofio   – Chofiais i ddim
p – prynu   – Phrynais i ddim

Treiglad Meddal
{
b – bwyta   – Fwytais i ddim
d – dweud   – Ddwedais i ddim
g – gweld   – Welais i ddim
ll– llewygu   – Lewygais i ddim
m – meddwl – Feddyliais i ddim
rh– rhedeg   – Redais i ddim

Yr Ateb: Do/Naddo *bob tro*

5.   Y Dyfodol (Future tense) – Afreolaidd (Irregular)

BOD

Brawddeg bositif	Cwestiwn	Negyddol
Bydda i	Fydda i?	Fydda i ddim
Byddi di	Fyddi di?	Fyddi di ddim
Bydd e/hi/pawb	Fydd e/hi/pawb?	Fydd e/hi/pawb ddim
Byddwn ni	Fyddwn ni?	Fyddwn ni ddim
Byddwch chi	Fyddwch chi?	Fyddwch chi ddim
Byddan nhw	Fyddan nhw?	Fyddan nhw ddim

Atebion:
Bydda   / Na fydda
Byddi   / Na fyddi
Bydd   / Na fydd
Byddwn   / Na fyddwn
Byddwch   / Na fyddwch
Byddan   / Na fyddan

Cofiwch:

Mae 'bydd' yn cael ei ddefnyddio gyda berfau eraill:
('bydd' is used as an auxilliary verb with others):
e.e.   Bydda i'n mynd i nofio bob nos Iau.
Bydd e'n dod gartre yn yr haf.
Fyddwch chi ddim yn mynd.
Fyddan nhw ddim yn sylwi.

GWNEUD	MYND
Gwna(f) i	A(f) i
Gwnei di	Ei di
Gwnaiff e/hi	Aiff e/hi
Gwnawn ni	Awn ni
Gwnewch chi	Ewch chi
Gwnân nhw	Ân nhw

CAEL	DOD
Ca(f) i	Do(f) i
Cei di	Doi di
Caiff e/hi	Daw e/hi
Cawn ni	Down ni
Cewch chi	Dewch chi
Cân nhw	Dôn nhw

Atebion:

GWNEUD	CAEL
Gwnaf / Na wnaf	Caf / Na Chaf
(Wna i / Na wna i)	
Gwnei / Na wnei	Cei / Na chei
Gwnaiff / Na wnaiff	Caiff / Na chaiff
Gwnawn / Na wnawn	Cawn / Na chawn
Gwnewch / Na wnewch	Cewch / Na chewch
Gwnân / Na wnân	Cân / Na chân

Gyda berfau eraill, mae dwy ffordd o ateb yn y Dyfodol –

1. *Defnyddio ffurf gywir y ferf wreiddiol* **neu** 2. *Defnyddio 'Gwneud'*

e.e.	Aiff e?	Aiff		Gwnaiff
	Ei di?	Af		Gwnaf
	Ddôn nhw?	Dôn		Gwnân
	Ddewch chi?	Down		Gwnawn

201

Y Dyfodol (Future tense) – Rheolaidd

Ychwanegu terfyniad:

Brawddeg bositif

– a i	Darllena i
– i di	Darlleni di
– iff e/hi	Darlleniff e/hi
– wn ni	Darllenwn ni
– wch chi	Darllenwch chi
– an nhw	Darllenan nhw

Cwestiwn: *Treiglad meddal ar y dechrau*

Ddarlleni di bapur newydd yfory?
Bryni di bapur newydd yfory?
Gofi di brynu papur newydd yfory?
Dali di am y papurau newydd yfory?

Ffurfio bôn: *Mae'r berfau gyda bôn afreolaidd yr un peth ag yn y gorffennol:*

e.e.   arhosa i/anghofia i/bwytiff e/
breuddwydiff hi/cerddwn ni/cofiwch chi/
cytunan nhw/dweda i/gwela i/
gwrandawiff e/meddyliff hi/mwynheuiff y teulu/
penderfynwn ni/rhedwch chi/yfan nhw.

Y Negyddol:

Treiglad Llaes
t – talu	– Thala i ddim
c – cofio	– Chofia i ddim
p – prynu	– Phryna i ddim

Treiglad Meddal
b – bwyta	– Fwyta i ddim
d – dweud	– Ddweda i ddim
g – gweld	– Wela i ddim
ll – llewygu	– Lewyga i ddim
m – meddwl	– Feddylia i ddim
rh – rhedeg	– Reda i ddim

Atebion:
Gwnaf (Wna i)	/ Na wnaf (Na wna i)
Gwnei	/ Na wnei
Gwnaiff	/ Na wnaiff
Gwnawn	/ Na wnawn
Gwnewch	/ Na wnewch
Gwnân	/ Na wnân

6. Yr Amodol (Conditional tense)

BOD

Brawddeg bositif *(llafar)*

(I would be) ... ...
Baswn i (swn i)
Baset ti (set ti)
Basai fe/hi/y plant (sai)
Basen ni (sen ni)
Basech chi (sech chi)
Basen nhw (sen nhw)

(if I were)
taswn i (swn i)
taset ti (set ti)
tasai fe/hi/y plant (sai)
tasen ni (sen ni)
tasech chi (sech chi)
tasen nhw (sen nhw)

(Efallai byddwch chi'n clywed neu'n darllen)

(I would be)
Byddwn i
Byddet ti
Byddai fe/hi
Bydden ni
Byddech chi
Bydden nhw

Cwestiwn. *(llafar)*

Faset ti'n prynu ty newydd taset ti'n ennill y loteri?
Fasai diddordeb gyda chi mewn prynu unedau cegin newydd?

Negyddol *(llafar)*

Fasen nhw ddim yn dweud celwydd.
Faswn i ddim yn prynu ty newydd taswn i'n ennill y loteri.
Fasech chi ddim hapusach tasech chi'n ennill y loteri.

Atebion *(llafar)*

Baswn	/ Na faswn
Baset	/ Na faset
Basai	/ Na fasai
Basen	/ Na fasen
Basech	/ Na fasech
Basen	/ Na fasen

Cofiwch:

(a)	*Mae'r ffurf yma o 'BOD' yn cael ei ddefnyddio gyda berfau eraill.*
	e.e. Baswn i'n hoffi mynd am wyliau i Sbaen.

(b)	*Pan fyddwch chi'n darllen byddwch chi'n gweld:*	**HOFFI**
	(Byddwch chi'n clywed ar lafar weithiau)	Hoffwn i
	Hoffet ti
	Hoffai fe/hi
	Hoffen ni
	Hoffech chi
	Hoffwn i = Baswn i'n hoffi	Hoffen nhw

(c)	*Mae'n bosib gwneud hyn gyda berfau eraill, e.e.*	Ffonien nhw
	(They would phone)
	Ffonien nhw = Basen nhw'n ffonio

DYLWN *(ought/should)*, berf ddiffygiol *(A defective verb)*

Brawddeg bositif *(llafar)*

Dylwn i
Dylet ti
Dylai fe/hi/pobl
Dylen ni
Dylech chi
Dylen nhw

Cwestiwn

Ddylwn i anfon llythyr?

Negyddol

Ddylet ti ddim bwyta gormod.

Atebion

Dylwn	/ Na ddylwn
Dylet	/ Na ddylet
Dylai	/ Na ddylai
Dylen	/ Na ddylen
Dylech	/ Na ddylech
Dylen	/ Na ddylen

7. WEDI *(... have ... /... had ....)*

Mae 'WEDI' yn cael ei ddefnyddio gyda ffurfiau o 'BOD', e.e.:

(a) Wi wedi gweld y Taj Mahal.　　　　– I have seen the Taj Mahal.
　　　Ych chi wedi dringo'r Wyddfa?　　– Have you climbed Snowdon?
　　　Maen nhw wedi bod yn Affrica.　 – They have been to Africa.
　　　Yn ni wedi cael brecwast mawr.　 – We have had a large breakfast.

(b) Ron i wedi gorffen.　　　　　　　– I had finished.
　　　Roedd y plant wedi cysgu.　　　 – The children had gone to sleep.
　　　On nhw wedi bod yno o'r blaen?　– Had they been there before?

(c) Bydda i wedi ymddeol erbyn hynny.　– I will have retired by then
　　　Bydd e wedi gorffen erbyn 3pm.　　– It will have finished by 3pm.
　　　Fydd y plant wedi dod gartref?　　　– Will the children have come home?

(ch) Baswn i wedi gwneud teisen　　　　– I would have made a cake if I had
　　　taswn i'n gwybod bod chi'n dod.　　known you were coming.
　　　Baswn i wedi ennill taswn i wedi　　– I would have won if I had tried
　　　trio'n galetach.　　　　　　　　　harder.
　　　Fasen ni wedi mwynhau'r ddarlith?　– Would we have enjoyed the lecture?
　　　Fasech chi ddim wedi deall.　　　　– You wouldn't have understood

(d) Dylwn i fod wedi meddwl.　　　　　– I should/ought to have thought.
　　　Dylet ti fod wedi ffonio　　　　　– You should/ought to have phoned.
　　　Ddylen ni fod wedi dweud rhywbeth?　– Should we have said something

8. ARDDODIAID (Prepositions)

Pan mae berfau yn newid gyda'r person yn ni'n dweud eu bod nhw'n 'rhedeg'.
Mae'n bosib rhedeg arddodiaid o dan rai amgylchiadau:

AM –	AR –	AT –
amdana i	arna i	ata i
amdanat ti	arnat ti	atat ti
amdano fe	arno fe	ato fe
amdani hi	arni hi	ati hi
am* wythnos	ar* y teledu	at* y meddyg
amdanon ni	arnon ni	aton ni
amdanoch chi	arnoch chi	atoch chi
amdanyn nhw	arnyn nhw	atyn nhw

YN –	WRTH –
ynddo i	wrtha i
ynddot ti	wrthot ti
ynddo fe	wrtho fe
ynddi hi	wrthi hi
yn* yr amser	wrth* y plant
ynddon ni	wrthon ni
ynddoch chi	wrthoch chi
ynddyn nhw	wrthyn nhw

Mae patrwm 'i' yn wahanol: **I–**   i mi
i ti
iddo fe
iddi hi
i* bawb
i ni
i chi
iddyn nhw

Cofiwch:

* *Pan fyddwch chi'n enwi'r peth dyw'r arddodiad ddim yn newid.*

e.e. y plant/ y meddyg/ yr amser/ yr wythnos/ Tomos

– dweud wrth y plant
– mynd at y meddyg
– yn yr amser (ei wneud e yn yr amser)
– edrych ar y teledu
– mynd am yr wythnos
– rhoi anrheg i Tomos

9. TREIGLADAU (Mutations)

Mae naw llythyren yn yr wyddor Gymraeg yn treiglo:

A **B** C CH **D** DD E

F FF **G** NG H I L

LL M N O **P** PH R

RH S **T** TH U W Y

Treiglad Meddal			Treiglad Trwynol			Treiglad Llaes		
p	–	b	p	–	mh	p	–	ph
t	–	d	t	–	nh	t	–	th
c	–	g	c	–	ngh	c	–	ch
b	–	f	b	–	m			
d	–	dd	d	–	n			
g	–	*	g	–	ng			
ll	–	l						
m	–	f						
rh	–	r						

Cofiwch, e.e.:

(a) *Mae treiglad meddal ar ôl*   'dy' *(your)/'ei' (his)*   pen – dy ben/ei ben
   Mae treiglad trwynol ar ôl   'fy' *(my)*   pen – fy mhen
   Mae treiglad llaes ar ôl   'ei' *(her)*   pen – ei phen

   Does dim treiglad ar ôl   'ein' *(our)/* 'eich' *(your)/* 'eu' *(their)*

(b) *Gyda* 'ei' *(her),* 'ein' *(our) ac* 'eu' *(their) mae* 'H' *o flaen llafariaid.*

   e.e.   ei henw   ei hoed   ei hysgol   ei hathrawes
          ein hiaith   ein hamser   ein haddysg   ein hystafell
          eu hynys   eu harweinydd   eu harferion   eu hanifeiliaid

(c) *Does dim treiglad ar ôl* 'dim' *na* 'mewn', *nac ar ôl* 'yn' *pan mae'n dod o flaen berf.*

   e.e.
         Dyn nhw ddim yn mynd.
         Ches i ddim brecwast.
         Mae e'n gweithio.
         Gwela i chi mewn pythefnos.
         Maen nhw'n byw mewn ty mawr.
         Mae diddordeb gyda fi mewn cerddoriaeth.

TREIGLADAU (MUTATIONS)

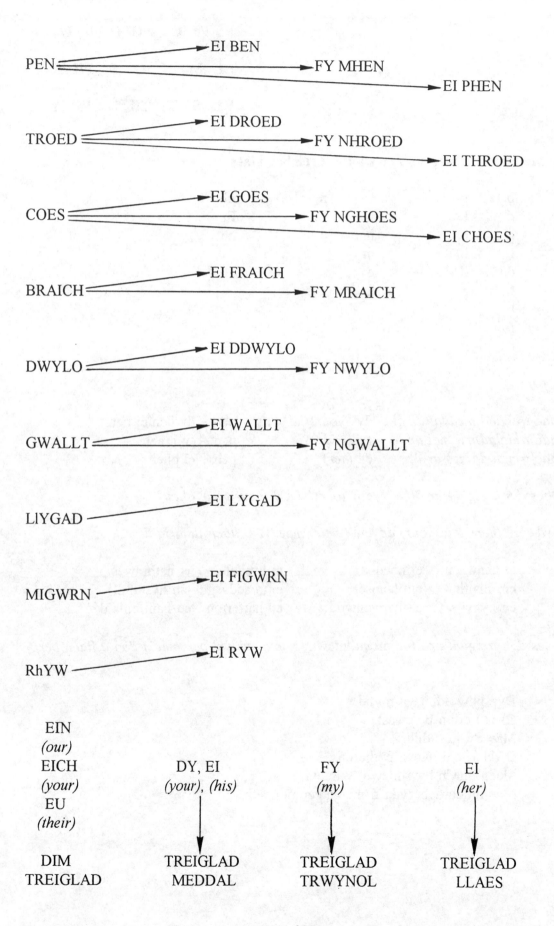

PEN → EI BEN
PEN → FY MHEN
PEN → EI PHEN

TROED → EI DROED
TROED → FY NHROED
TROED → EI THROED

COES → EI GOES
COES → FY NGHOES
COES → EI CHOES

BRAICH → EI FRAICH
BRAICH → FY MRAICH

DWYLO → EI DDWYLO
DWYLO → FY NWYLO

GWALLT → EI WALLT
GWALLT → FY NGWALLT

LlYGAD → EI LYGAD

MIGWRN → EI FIGWRN

RhYW → EI RYW

EIN			
(our)			
EICH	DY, EI	FY	EI
(your)	*(your), (his)*	*(my)*	*(her)*
EU			
(their)			
↓	↓	↓	↓
DIM	TREIGLAD	TREIGLAD	TREIGLAD
TREIGLAD	MEDDAL	TRWYNOL	LLAES

208

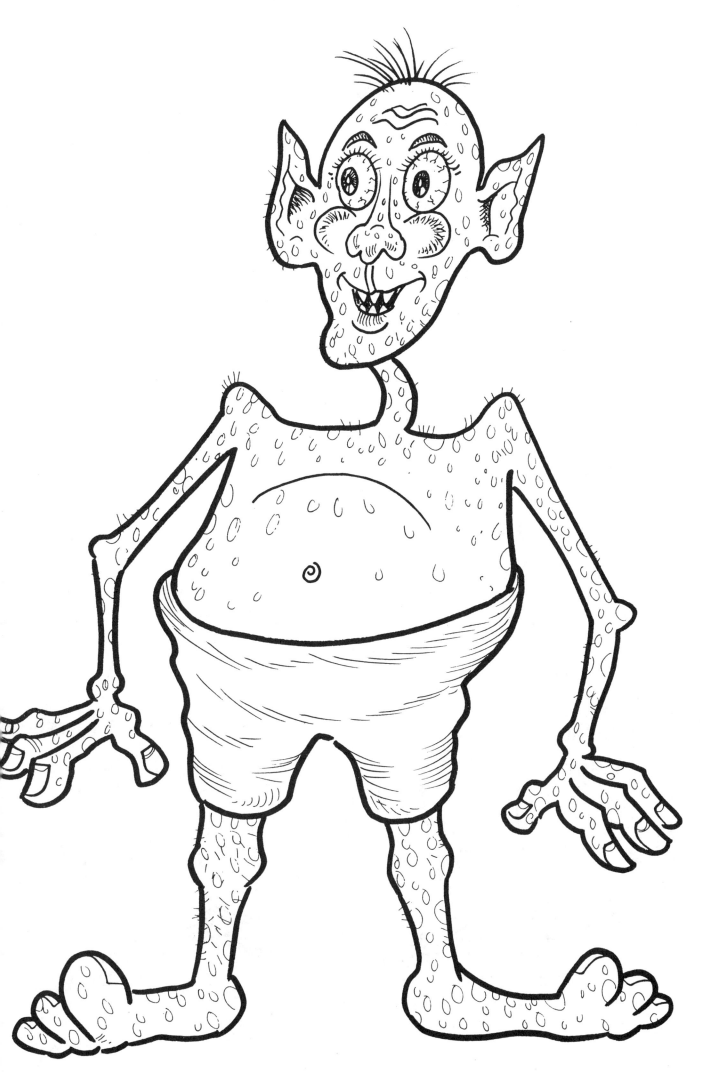

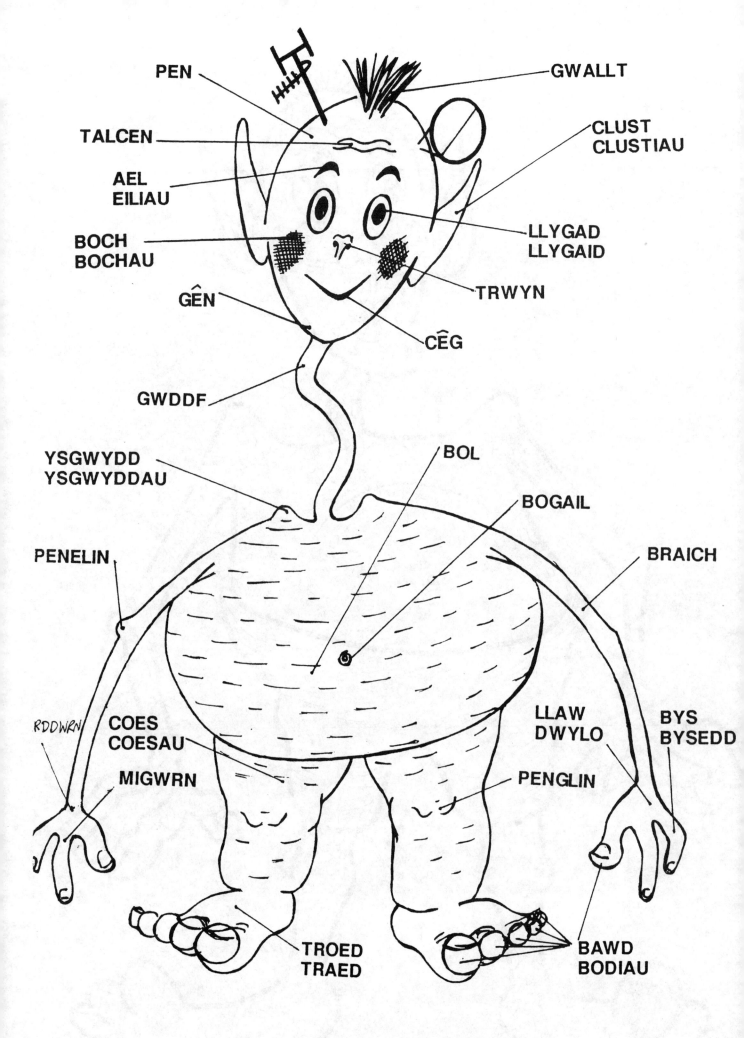

PEN

GWALLT

TALCEN

CLUST
CLUSTIAU

AEL
EILIAU

BOCH
BOCHAU

LLYGAD
LLYGAID

GÊN

TRWYN

CÊG

GWDDF

YSGWYDD
YSGWYDDAU

BOL

BOGAIL

PENELIN

BRAICH

RDDWRN

COES
COESAU

LLAW
DWYLO

BYS
BYSEDD

MIGWRN

PENGLIN

TROED
TRAED

BAWD
BODIAU

210